THIS IS
VOCA
VOCABULARY

수능완성

THIS IS VOCABULARY 수능 완성

지은이 넥서스영어교육연구소
펴낸이 임상진
펴낸곳 (주)넥서스

출판신고 1992년 4월 3일 제311-2002-2호 ⑥
10880 경기도 파주시 지목로 5
Tel (02)330-5500 Fax (02)330-5555

ISBN 979-11-6165-262-7 54740
       979-11-6165-203-0 (SET)

가격은 뒤표지에 있습니다.
잘못 만들어진 책은 구입처에서 바꾸어 드립니다.

www.nexusbook.com

※본 책은 〈Word Expert〉의 콘텐츠를 재구성한 것입니다.

수능어휘를 마스터하는

THIS IS VOCA

VOCABULARY

넥서스영어교육연구소 지음

수능완성

NEXUS Edu

Preface

영어 듣기, 말하기, 읽기, 쓰기에서 가장 기본이 되는 것은 무엇일까요? 영어 학습에서는 기본적인 문장을 이루고 있는 단어의 뜻을 정확히 파악하고, 글의 내용을 이해하는 것이 최우선되어야 합니다. 시험 대비를 위해 문장 구조나 문법은 열심히 공부해서 파악했는데, 문장을 구성하고 있는 단어들이 무엇을 뜻하고 있는지 모른다면 어떻게 될까요? 당연히 글의 의도나 목적, 주제, 세부 사항을 파악할 수 없어 시험에서 높은 점수를 기대하기는 어렵습니다.

그렇다면 내신이나 수능은 물론, 모든 영어 학습의 근간이 되는 어휘는 어떻게 공부해야 할까요? 영어로 된 지문을 자유롭게 읽고, 쓰고, 말하기 위해서는 어휘의 기본적 의미는 물론, 동의어, 반의어, 파생어 등 패밀리 어휘를 자유롭게 연상할 수 있어야 하며, 무엇보다도 이 단어들이 문맥 안에서 어떻게 쓰이는지 알아야 합니다.

〈This Is Vocabulary 수능 완성〉은 내신뿐만 아니라 EBS 빈출 어휘 및 최근 수능 어휘까지를 포함하여 자주 출제되었던 필수 어휘로 구성하였습니다. 문맥 속에서 어휘의 의미를 더욱 정확히 이해할 수 있도록 모든 표제어에 예문을 수록하였고, 수능 기출 문제 풀이만으로 채워지지 않는 수능 실력을 탄탄하게 채워갈 수 있습니다. 하루하루 꾸준히 공부한다면, 한 달 만에 수능 필수 어휘 1,200단어를 완벽히 마스터할 수 있을 것입니다.

〈This Is Vocabulary 수능 완성〉을 통해 더욱 효과적으로 어휘를 학습할 수 있기를 바라며, 본 책으로 공부하는 모든 수험생들의 1등급을 기원합니다.

넥서스영어교육연구소

이것이 더 강력해진
"THIS IS VOCA" 시리즈다!

✎ 효과적인 주제별 어휘 학습

〈This Is Vocabulary 시리즈〉는 어휘를 주제별로 분류하여, 학습자들이 각각의 어휘를 연상 작용을 통해 효과적으로 암기하고 쉽게 기억할 수 있도록 구성하였습니다.

✎ 문맥을 통한 어휘 학습

어휘는 단독으로 사용되지 않으므로 예문이나 어구의 형태에서 확인하는 과정이 필요합니다. 따라서 단순히 주제와 관련된 어휘만을 나열한 것이 아니라, 연어, 파생어, 주제와 관련된 예문을 함께 제시하여 가능한 한 다양한 표현을 반영, 문맥을 통해 학습할 수 있도록 구성하였습니다.

✎ 입문(주니어)부터 수능완성, 고급 단계까지의 연계성

어휘 학습이 체계적이고 단계적으로 이루어질 수 있도록 입문(주니어)부터 초급, 중급, 수능완성, 어원편, 고급까지 시리즈로 구성했습니다. 각 단계에 맞는 표제어를 선정하고 적절한 예문의 수준과 추가 어휘를 제시하여 효과적으로 학습할 수 있도록 구성하였습니다.

✎ 다양한 학습 방법

레벨에 따라 Word Search, Word Bubbles, Crossword Puzzles, Word Mapping 등 다양한 활동을 추가함으로써 복습 과정을 즐길 수 있도록 학습 효과를 높일 수 있습니다. 또한 언제 어디서나 학습이 가능하도록 모바일로 발음을 확인하고, 모바일 VOCA TEST를 통해 자기주도학습을 할 수 있는 최적화된 학습 시스템을 제공합니다.

Features

Thematic Grouping

수험생들이 꼭 알아야 하는 최신 수능 빈출 어휘 1,200개를 30일 만에 학습할 수 있도록 Day별로 40개 어휘를 수록하였습니다. 표제어 외에 파생어 및 예문을 수록하여 심층적 어휘 학습이 가능하며 수능을 완벽하게 대비할 수 있습니다.

품사 표시

n 명사 **v** 동사 **a** 형용사 **ad** 부사
conj 접속사 **prep** 전치사 **ant** 반의어
syn 동의어 **c.f.** 비교

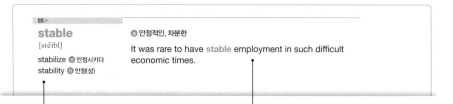

표제어

수능 빈출 어휘를 토대로 가장 중요한 필수 어휘를 수록하였습니다.
파생어까지 정리되어 있어 단어의 의미를 이해하고 암기하는 데 큰 도움을 줄 수 있습니다.

예문

모든 표제어마다 기출 예문을 수록하여 실제 단어의 쓰임새를 문맥 안에서 학습하여 비교적 쉽게 어휘를 암기할 수 있습니다.

접두어, 혼동 어휘, 다의어

어원에 따른 접두어, 혼동 어휘, 다의어를 수록하여 헷갈릴 수 있는 어휘를 한눈에 보기 쉽게 정리하며 학습할 수 있습니다.

Daily Test

그날그날 학습한 어휘는 바로 복습하며 암기하는 것이 중요합니다. 3가지 유형의 테스트를 통해서 앞서 배운 어휘를 완벽하게 암기할 수 있도록 구성했습니다.

수능 필수 숙어

수능 기출 예문으로 구성하여 시험에서 자주 볼 수 있는 수능 필수 숙어를 제공합니다.

추가 제공 자료 www.nexusbook.com

영/미 발음
MP3

모바일
VOCA TEST

어휘
리스트/테스트

혼동 어휘
테스트

핵심 접두사
단어장

MP3 듣기
VOCA TEST

Contents

Day 01 ~ 05

☐ available	☐ survey	☐ incident	☐ hire
☐ assist	☐ expert	☐ occasion	☐ renew
☐ recover	☐ duty	☐ audience	☐ rough
☐ revise	☐ reduce	☐ efficient	☐ receive
☐ eventually	☐ mental	☐ lack	☐ despair

01 ▶

arrival
[əráivəl]
arrive ⓥ 도착하다

ⓝ 도래, 도입; 도착

The benefit of the arrival of artificial intelligence is that AIs will help define humanity.

02 ▶

minimize
[mínəmàiz]

ⓥ 최소화하다

It's time to consider a new strategy to minimize side effects.

03 ▶

available
[əvéiləbl]

ⓐ 이용 가능한; 시간이 있는

Free drinks will be available at the cafeteria.

04 ▶

reward
[riwɔ́:rd]

ⓝ 보상, 사례 ⓥ 보상[사례]하다

The dinner was a small but welcome reward for all the workers who volunteered their time.

05 ▶

stable
[stéibl]
stabilize ⓥ 안정시키다
stability ⓝ 안정(성)

ⓐ 안정적인, 차분한

It was rare to have stable employment in such difficult economic times.

06 ▶

enhance
[enhǽns]
enhancement ⓝ 향상, 상승

ⓥ 향상시키다, 높이다

Using special computer programs, photographers are able to easily enhance the quality of their images.

01 인공 지능의 도래가 주는 이점은 AI가 인간성을 정의하는 데 도움을 줄 것이라는 것이다. 02 부작용을 최소화하기 위해서 새로운 전략을 고려해야 할 때이다. 03 카페테리아에서 무료 음료를 이용할 수 있다. 04 그 저녁 식사는 조촐했지만, 자발적으로 시간을 내어준 모든 일꾼에게는 고마운 보상이었다. 05 이렇게 어려운 경제적 시기에 안정적인 고용은 드문 경우이다. 06 사진가들은 특수한 컴퓨터 프로그램들을 사용해서 사진의 품질을 쉽게 향상시킬 수 있다.

07▶

mate
[meit]

ⓥ (동물이) 짝짓기하다 ⓝ 친구, 짝

Some species of lemurs in Madagascar can only mate for two days each year.

08▶

gesture
[dʒéstʃər]

ⓥ 몸짓을 하다; (몸짓으로) 가리키다 ⓝ 몸짓, 제스처

She couldn't see the person trying to gesture her to stay away.

09▶

soak
[souk]

soaking ⓐ 흠뻑 젖은

ⓥ 흠뻑 적시다

It's important to soak the beans overnight before you use them in the soup.

10▶

chemical
[kémikəl]

chemistry ⓝ 화학, 화학적 성질

ⓐ 화학의 ⓝ 화학 물질

Bubbles and flames are properties that can happen during a chemical reaction.

11▶

drain
[drein]

drainage ⓝ 배수 (시설)

ⓥ 물을 빼내다 ⓝ 배수관

The drain pipe was blocked, causing a flood of rainwater in the street near their house.

12▶

solid
[sálid]

solidity ⓝ 견고함

ⓐ 단단한, 견고한 ⓝ 고체

The houses were of solid construction, but none could withstand the strong earthquake.

---

07 마다가스카르의 몇몇 여우원숭이 종은 매년 단 이틀간만 짝짓기할 수 있다. 08 그녀는 자기에게 떨어져 있으라고 몸짓하는 사람을 보지 못했다. 09 콩으로 수프를 만들기 전에 하룻밤 콩을 물에 불리는 것이 중요하다. 10 거품과 불꽃은 화학 반응 도중에 일어날 수 있는 특성이다. 11 그 배수관이 막혀서 집 근처 도로에 빗물이 넘쳤다. 12 그 집들은 견고하게 지어졌지만, 어느 집도 그 강력한 지진을 견뎌내지 못했다.

13▶

loosen
[lúːsən]

loose ⓐ 헐거워진, 느슨한

ⓥ 느슨하게 하다, 풀다

He was happy to loosen his tie as soon as the work day ended.

14▶

circulate
[sə́ːrkjəlèit]

circulation ⓝ (혈액) 순환, 유통

ⓥ 순환하다; 유포하다

When on long flights, it's important to exercise to circulate the blood.

15▶

acoustic
[əkúːstik]

acoustically **ad** 청각적으로

ⓐ 음향의; 청각의

According to McLuhan, television is fundamentally an acoustic medium.

16▶

adjust
[ədʒʌ́st]

adjustment ⓝ 수정; 적응

ⓥ 적응하다; 조절[조정]하다

The kind people and delicious food made it easy for Kate to adjust to the new culture.

17▶

survey
[səːrvéi]

ⓝ 설문조사 ⓥ 점검하다, 조사하다

A recent survey indicated that 80% of people living in the area were in favor of the new sports center being built.

18▶

deaf
[def]

deafen ⓥ 귀를 먹게 만들다

ⓐ 청각 장애가 있는

In his old age, he had become almost completely deaf, although he was still able to listen to music.

---

13 그는 업무가 종료되자마자 즐겁게 넥타이를 느슨하게 했다. 14 오랜 비행 시에는 혈액을 순환시키기 위해 운동이 중요하다. 15 McLuhan에 따르면 텔레비전은 본질적으로 음향 매체이다. 16 Kate는 친절한 사람들과 맛있는 음식 덕분에 새로운 문화에 쉽게 적응했다. 17 최근의 설문조사는 그 지역에 사는 사람 중 80%가 새로운 스포츠센터 건립에 찬성했다는 것을 보여주었다. 18 그는 노년에 이르러 여전히 음악을 들을 수는 있었지만, 거의 완전히 청력을 상실했다.

19 ▶

triumph
[tráiəmf]

ⓝ 승리 ⓥ 승리하다

Marcus Antonius returned to Rome after his glorious triumph over the tribal army at Pharsalus in ancient Greece.

20 ▶

magnify
[mǽgnəfài]

magnification ⓝ 확대

ⓥ (현미경 등을 이용해서) 확대하다; 과장하다

The kids could magnify the head of the bugs with a special glass, and it looked like a giant monster!

21 ▶

lid
[lid]

ⓝ 뚜껑

Forgetting to replace the lid on the food basket can attract bugs and other pests on a picnic.

22 ▶

stem
[stem]

ⓝ 줄기 ⓥ (사건 등이) ~에서 유래하다

Wine, milk, mineral water, or olive oil bottles look particularly good with one or two stems in them.

23 ▶

square
[skwɛər]

ⓐ 정사각형 모양의 ⓝ 정사각형; 광장

A square has four sides of equal length and is easiest to draw using a ruler.

24 ▶

urgent
[ə́ːrdʒənt]

urgency ⓝ 긴급, 위급
urgently ad 급히

ⓐ 급한

We're in the middle of an urgent job right now, so it will take about two hours.

---

19 Marcus Antonius는 고대 그리스의 파르살루스에서 부족 군대에 빛나는 승리를 거둔 후 로마로 귀환했다. **20** 그 아이는 특수 돋보기를 가지고 벌레의 머리를 확대할 수 있었으며, 그것은 거인 괴물처럼 보였다! **21** 소풍 갔을 때 음식 바구니의 뚜껑을 덮는 것을 잊으면 개미와 다른 해충을 끌어들일 수 있다. **22** 포도주, 우유, 생수, 올리브기름 병은 꽃을 한두 송이 꽂아 놓으면 특히 보기 좋다. **23** 정사각형은 길이가 같은 네 측면을 지니고 있으며 자를 사용하면 그리기가 더 쉽다. **24** 우리는 지금 급한 일을 하는 중이라서 두 시간 정도 걸릴 것이다.

25▶

hire
[háiər]

ⓥ 고용[채용]하다; 빌리다

The bride had no choice but to hire her brother's rock band for the wedding when the original musician canceled.

26▶

chore
[tʃɔːr]

ⓝ (해야 하지만 따분한) 일, 잡일

Each chore she completed saw her one step closer to needing a nap.

27▶

incident
[ínsədənt]

ⓝ 불쾌한 일, 불미스러운 사건

The police responded quickly to the traffic incident, and luckily no one was hurt.

28▶

errand
[érənd]

ⓝ 심부름

Sue was happy to run an errand for her boss as long as she could also get herself some lunch.

Tips run an errand for는 '~의 심부름을 하다'라는 뜻이다.

29▶

persist
[pəːrsíst]

persistent ⓐ 집요한, 끈질긴
persistence ⓝ 고집

ⓥ 고집스럽게 계속하다

As long as her cough persists, she needs to take her medicine.

30▶

contrast
[kántræst]

ⓝ 대비, 차이, 대조 ⓥ 대조하다

Black on yellow provides the most easily seen color contrast.

🔓 **25** 원래 하기로 한 음악가가 취소하자 신부는 결혼식에 자기 동생의 록밴드를 고용하는 것 외에는 선택의 여지가 없었다. **26** 따분한 일거리를 하나씩 끝낼 때마다 그녀는 낮잠 생각이 더욱 간절해졌다. **27** 경찰은 그 교통사고에 신속히 대응했으며, 다행히 아무도 다치지 않았다. **28** Sue는 점심을 챙겨 먹을 수만 있다면 상사의 심부름을 기꺼이 했다. **29** 기침이 계속되는 한 그녀는 약을 먹을 필요가 있다. **30** 노란색 바탕에 검은색은 가장 쉽게 색상 대비를 보여준다.

31 ▶

steep
[sti:p]

steepen ⓥ 더 가팔라지다
steeply ⓐⅾ 가파르게

ⓐ (경사가) 가파른, 급격한

The number of nurses available to work was in steep decline, and more needed to be trained immediately.

32 ▶

undeveloped
[ʌ̀ndivéləpt]

ⓐ 개발되지 않은, 미개발된

Local people worked very hard to protect the undeveloped forest from being destroyed.

33 ▶

compact
[kəmpǽkt]

ⓐ 소형의, 작은

Compact vehicles are a great solution for those who live in urban areas.

34 ▶

suburb
[sʌ́bə:rb]

suburban ⓐ 교외의

ⓝ 교외

Most houses in the suburb were lucky to have large gardens for the children to play in.

35 ▶

reform
[ri:fɔ́:rm]

reformation ⓝ 개혁, 개선

ⓝ 개혁 ⓥ 개혁하다

Reform that is pushed forward without the consent of the population it impacts often fails.

---

31 일할 수 있는 간호사의 수가 급격하게 줄어서 더 많은 간호사가 당장 교육을 받아야 했다. **32** 마을 사람들은 개발되지 않은 숲이 파괴되지 않도록 열심히 노력했다. **33** 소형 자동차는 도시 지역에 사는 사람들에게 훌륭한 해결책이다. **34** 교외에 있는 대부분의 집은 아이들이 놀 수 있는 커다란 정원이 있어서 다행이었다. **35** 그것이 영향을 미칠 주민의 동의 없이 추진된 개혁은 종종 실패한다.

접두어	co – '함께'

36 ▶

coed
[kóuèd]

ⓐ 남녀공학의; 남녀공용의

It was not until the 1960s that coed colleges became more widespread in North America.

37 ▶

coexist
[kòuigzíst]

coexistent ⓐ 공존하는
coexistence ⓝ 공존

ⓥ 공존하다

Throughout known history, humans have struggled to coexist peacefully.

38 ▶

cooperate
[kouápərèit]

cooperative ⓐ 협력하는
cooperation ⓝ 협력, 협동

ⓥ 협력[협동]하다

Teams that cooperate with each other have a higher rate of success than those that compete with each other.

혼동 어휘	

39 ▶

lie
[lai]

ⓥ 있다; 눕다; 놓여 있다

Stonehenge lies in the English county of Wiltshire, several hours' drive from London.

40 ▶

lay
[lei]

ⓥ 놓다, 두다; (알을) 낳다

I tried to lay the baby gently down in her crib when she had fallen asleep, but she woke up once more.

---

36 북미에서 남녀공학 대학이 더 광범위해진 것은 1960년대에 이르러서이다. **37** 알려진 역사를 통해서 인간은 평화적으로 공존하기 위해 애써왔다. **38** 서로 협력하는 팀들은 서로 경쟁하는 팀들보다 성공할 확률이 높다. **39** 스톤헨지는 런던에서 자동차로 몇 시간 떨어진 영국 윌트셔 카운티에 있다. **40** 나는 아기가 잠들자 살그머니 침대에 눕히려 했지만 아기는 또 깼다.

A 다음 영어를 우리말로, 우리말을 영어로 쓰시오.

1	minimize		11	급한	
2	coexist		12	뚜껑	
3	incident		13	보상[사례](하다)	
4	lay		14	소형의, 작은	
5	lie		15	순환하다; 유포하다	
6	persist		16	심부름	
7	reform		17	대비, 차이, 대조(하다)	
8	square		18	고용[채용]하다; 빌리다	
9	stem		19	화학의; 화학 물질	
10	undeveloped		20	흠뻑 적시다	

B 다음 빈칸에 알맞은 말을 쓰시오.

1	magnify	n	5	drain	n	
2	adjust	n	6	urgent	n	
3	arrival	v	7	cooperate	a	
4	loosen	a	8	deaf	v	

C 다음 빈칸에 들어갈 알맞은 말을 보기 에서 고르시오.

> 보기   enhance   reformed   contrast   chores   gestured

1 Old Hawk _____ up at the tall, old cottonwood.

2 The _____ between Western Europe and America is particularly sharp.

3 Activities like these also _____ the value of hard work and persistence.

4 Every day, opportunities exist in the form of errands, meal preparation, and _____ .

5 Artists during the Renaissance _____ painting.

01 ▶

capacity
[kəpǽsəti]

ⓝ 수용력; 능력

Some scientists believe the brain's remembering capacity is limited.

02 ▶

thrill
[θril]

ⓥ 열광시키다 ⓝ 흥분, 전율

I am thrilled to learn that you're holding your Summer Camp again.

03 ▶

spot
[spɑt]

ⓝ 장소 ⓥ 발견하다, 찾다

Go to a quiet spot, relax, and watch some movies.

04 ▶

external
[ikstə́:rnəl]

ⓐ 외적인, 외부의

Some behaviors are automatic reactions driven by external stimulation.

05 ▶

motivation
[mòutəvéiʃən]

ⓝ 자극, 동기 부여

Taking the time to breathe deeply has a positive impact on motivation.

06 ▶

effortless
[éfərtlis]
effort ⓝ 수고, 노력

ⓐ 노력하지 않는, 힘들지 않는

Her gold-medal win was an effortless performance.

🔓 **01** 몇몇 과학자들은 뇌의 기억 용량이 제한적이라고 믿는다. **02** 귀하께서 여름 캠프를 다시 개최한다는 것을 알게 되어 기쁩니다. **03** 조용한 장소로 가서 긴장을 풀고 영화를 시청해라. **04** 어떤 행위는 외부 자극에 의한 자동적인 반응이다. **05** 시간을 들여서 심호흡을 하는 것은 동기 부여에 긍정적인 영향을 준다. **06** 그녀의 금메달 획득은 수월하게 이루어진 성과였다.

07 ▶

flip
[flip]

ⓥ 뒤집다; 손가락으로 튀기다

The acrobats would **flip** and turn in the air for the excited audience.

08 ▶

witness
[wítnis]

ⓝ 목격자, 증인 ⓥ 목격하다

The judge ordered the next **witness** to speak to the courtroom.

09 ▶

awkward
[ɔ́:kwərd]

awkwardness ⓝ 어색함
awkwardly ⓐⓓ 어색하게

ⓐ 불편한, 어색한; 서투른

Listening to the argument was **awkward** enough, but being asked to choose sides was very unfair.

10 ▶

robbery
[rábəri]

rob ⓥ 빼앗다, 훔치다

ⓝ 강도 사건

No one was ever charged with the **robbery**, and the cash and jewelry were never recovered.

11 ▶

present
[prizént / prézənt]

presence ⓝ 존재, 참석
presentation ⓝ 수여; 발표

ⓥ 주다, 제시하다 ⓐ 현재의, 있는

The President arrived to **present** the soldiers with medals of bravery.

---

07 그 곡예사들은 흥분한 관객들을 위해 공중에서 뒤집고 회전했다. **08** 그 판사는 다음 증인에게 법정 진술을 명했다. **09** 그 논쟁을 듣는 것도 불편했지만, 편을 선택하라는 요구는 매우 부당한 일이었다. **10** 아무도 그 강도 사건으로 기소되지 않았으며, 현금과 보석을 결코 되찾지 못했다. **11** 대통령은 그 군인들에게 용기의 메달을 수여하기 위해 도착했다.

---

12 ▶

method
[méθəd]

ⓝ 방법

Using the method described in the manual, he was able to fix the problem with his computer.

---

13 ▶

assist
[əsíst]

assistant ⓝ 조수
assistance ⓝ 도움, 원조

ⓥ 도움이 되다

If anyone can assist with the festival planning, please write your name on the sign-up sheet.

---

14 ▶

factual
[fǽktʃuəl]

fact ⓝ 사실, 실제

ⓐ 사실에 근거한

Although his work could be factual and dry, the writer's stories displayed his understanding of the subject.

---

15 ▶

secretary
[sékrətèri]

ⓝ (정부 부처의) 장관, 비서, (협회 등의) 총무

The U.S. Secretary of State made it clear during her visit that the friendship between the nations was strong.

---

16 ▶

store
[stɔːr]

storage ⓝ 보관(소), 저장(고)

ⓥ 보관[저장]하다 ⓝ 저장고

Leafy vegetables can be difficult to store in the freezer.

---

17 ▶

flexible
[fléksəbl]

flexibility ⓝ 유연성; 융통성
flexibly ad 유연하게

ⓐ 유연한; 융통성 있는

Please wear flexible clothing and bring a mat to the yoga class.

---

12 그는 그 사용설명서에 기술된 방법으로 컴퓨터의 문제를 해결할 수 있었다. **13** 축제 기획을 도울 수 있는 사람은 참가 신청서에 이름을 적어주십시오. **14** 그의 작품은 사실에 근거해서 무미건조할 수도 있었지만, 그 작가의 이야기는 그 주제에 대한 그의 이해를 보여주었다. **15** 미국 국무장관은 그녀의 방문 기간 중 양국의 우호 관계가 튼튼하다는 것을 확실히 했다. **16** 잎채소 는 냉장고에 보관하기 어려울 수 있다. **17** 요가 수업에는 신축성이 좋은 옷을 입고 매트를 가지고 오십시오.

18▸

format
[fɔ́ːrmæt]

ⓝ 구성 방식

The format for this evening's proceedings can be found in the program.

19▸

concern
[kənsə́ːrn]

ⓝ 걱정, 우려 ⓥ 걱정스럽게 만들다

His behavior was a little strange but not enough to cause great concern for his family.

20▸

expert
[ékspəːrt]

ⓝ 전문가

Everyone knew Karen was an expert at finding a bargain, and they begged her to go shopping with them.

21▸

repeatedly
[ripíːtidli]

repeated ⓐ 반복되는

ad 여러 차례, 되풀이하여

After failing repeatedly for two years, Mr. Jones finally passed his driving test.

22▸

occasion
[əkéiʒən]

occasional ⓐ 가끔의

ⓝ 때, 행사, 경우

Dressing nicely shows respect for an important function or occasion.

23▸

chief executive officer (CEO)

ⓝ 최고경영자

The CEO had been away for a few days before news of his replacement was released to the office.

---

18 오늘 저녁 행사의 구성 방식은 행사 계획표에서 확인할 수 있습니다. **19** 그의 행동은 약간 이상했지만, 그의 가족의 큰 걱정을 불러일으킬 정도는 아니었다. **20** 모든 사람은 Karen이 특가품을 찾아내는 데 전문가라는 것을 알아서 자신과 같이 쇼핑하러 가자고 그녀에게 부탁했다. **21** 2년간 여러 차례 실패한 후에 마침내 Jones 씨는 운전면허 시험에 합격했다. **22** 옷을 잘 입는 것은 중요한 직무나 행사에 대한 존중을 나타낸다. **23** 그 최고경영자는 자신의 교체 소식이 회사에 공개되기 전에 며칠 동안 자리를 비웠다.

24▶

on-the-spot
[ándəspɑ̀t]

ⓐ 현장의, 즉석의

Police are targeting speeding drivers with **on-the-spot** penalties during the holiday period.

25▶

outlook
[áutlùk]

ⓝ 전망, 관점

The economic **outlook** seems positive for the new year with interest rates finally stabilizing globally.

26▶

awful
[ɔ́:fəl]

ⓐ 끔찍한, 〈강조〉 엄청난

She didn't have the heart to tell him the dessert was **awful**, especially as he was so proud.

27▶

draft
[dræft]

ⓝ 초안, 원고 ⓥ 초안을[원고를] 쓰다

Improvement and hard work was evident in each **draft** of the paper he presented.

28▶

messy
[mési]

mess ⓝ 엉망인 상태

ⓐ 엉망인, 지저분한

The party had left the house a little **messy**, but there were some helpers willing to clean it up.

29▶

junk
[dʒʌŋk]

ⓝ 쓰레기

While it seemed like a pile of old **junk** at first, she was excited to find a rare collection of books in the box.

---

24 경찰은 휴일 동안 과속 운전자를 겨냥해서 과태료를 현장 부과하고 있다. **25** 마침내 이자율이 전 세계적으로 안정화되면서 새해에는 경제 전망이 낙관적일 것이다. **26** 무엇보다도, 그가 너무 자랑스러워 해서 그녀는 그 디저트가 끔찍했다고 말할 용기가 없었다. **27** 그가 제출한 원고 초안마다 발전과 노력이 역력하다. **28** 그 일행이 집을 약간 어질러 놓았지만, 기꺼이 청소하려는 몇몇 도움을 주는 사람들이 있었다. **29** 그것은 처음에는 낡은 쓰레기 더미처럼 보였지만, 그녀는 그 상자 안에서 희귀한 도서 모음을 발견하고 흥분했다.

30 ▶

renew
[rinjúː]

renewal ⓝ 재개, 연장, 갱신

ⓥ 재개하다; 갱신하다

When it came time to **renew** her yearly health club membership, she decided to do some research.

31 ▶

wooden
[wúdn]

wood ⓝ 나무, 목재

ⓐ 나무로 된

The **wooden** dining table was easily scratched, so playing games on it wasn't allowed.

32 ▶

manual
[ménjuəl]

manually ⓐ𝑑 손으로

ⓐ 손으로 하는; 육체노동의 ⓝ 안내서

Did you follow the instructions in the **manual** carefully?

33 ▶

technician
[tekníʃən]

ⓝ 기술자

A **technician** is available during office hours to answer any problems or queries.

34 ▶

tutor
[tjúːtər]

ⓝ 가정교사, 강사

While at the university, she worked with high school math students as a **tutor**.

35 ▶

session
[séʃən]

ⓝ (특정) 기간[시간], 학기

Many classes will not be offered during the summer study **session**.

---

30 자신의 연간 헬스클럽 회원권을 갱신할 때가 다가오자 그녀는 조사를 좀 해보기로 했다. **31** 그 목재 식탁은 쉽게 긁혔기 때문에 그 위에서 노는 것은 허락되지 않았다. **32** 안내서에 있는 지시사항을 꼼꼼히 따라 했습니까? **33** 업무 시간에는 기술자가 어떠한 문제나 질문에도 대답해 줄 수 있습니다. **34** 그녀는 대학에 다니면서 가정교사로서 수학을 공부하는 고등학생들을 가르쳤다. **35** 하계 계절 학기에는 많은 수업이 제공되지 않을 것이다.

36▶

book
[buk]

ⓥ 예약하다

Luckily, she had called to book a table in advance as it was a busy evening at the restaurant.

37▶

attraction
[ətrǽkʃən]

attract ⓥ 마음을 끌다
attractive ⓐ 매력적인

ⓝ 명소, 명물; 매력

The Grand Canyon is definitely my favorite attraction on my vacation.

혼동 어휘

38▶

receipt
[risíːt]

ⓝ 영수증

It is smart to keep your receipt for two weeks in case you need to return anything.

39▶

recipe
[résəpìː]

ⓝ 조리법

The recipe for brownies called for butter, but I used oil instead.

다의어

40▶

cell
[sel]

cellular ⓐ 세포의

ⓝ 세포

A cell is the smallest unit of life that is classified as a living thing by biologists.

ⓝ 감방

Prison cells are usually about two by three meters in size with steel or brick walls and one door that locks from the outside.

36 그 레스토랑은 저녁에 분주했지만, 다행히도 그녀는 전화로 미리 테이블을 예약했다. **37** 그랜드캐니언은 분명히 휴가 때 내가 가장 가고 싶은 명소이다. **38** 환불해야 할 때를 대비해서 2주 동안 영수증을 보관하는 것이 현명하다. **39** 브라우니 조리법에는 버터가 들어가지만 나는 버터 대신 기름을 사용했다. **40** 세포는 생물학자들에 의해 살아 있는 것으로 분류되는 가장 작은 생명의 단위이다. / 감방은 보통 강철과 벽돌로 된 벽에 가로 2미터 세로 3미터 정도의 크기로 밖에서 잠그는 문 한 개가 있다.

A 다음 영어를 우리말로, 우리말을 영어로 쓰시오.

1 concern _____
2 factual _____
3 flip _____
4 format _____
5 messy _____
6 occasion _____
7 repeatedly _____
8 book _____
9 store _____
10 witness _____

11 (특정) 기간[시간], 학기 _____
12 가정교사, 강사 _____
13 기술자 _____
14 나무로 된 _____
15 도움이 되다 _____
16 명소, 명물; 매력 _____
17 외적인, 외부의 _____
18 방법 _____
19 영수증 _____
20 조리법 _____

B 다음 빈칸에 알맞은 말을 쓰시오.

1 wooden ⓝ _____
2 store ⓝ _____
3 attraction ⓥ _____
4 flexible ⓝ _____

5 robbery ⓥ _____
6 messy ⓝ _____
7 renew ⓝ _____
8 cell ⓐ _____

C 다음 빈칸에 들어갈 알맞은 말을 보기 에서 고르시오.

| 보기 | secretary | junk | on-the-spot | draft | present |

1 There was nothing but _____ and old equipment.

2 This year's special event will be a(n) _____ photo contest.

3 For further information, contact David, the _____ of the club.

4 If you _____ your ticket, there will be no charge for this service.

5 I can send you a first _____ of our plan within two days.

01 ▶

consistency
[kənsístənsi]

consistent
ⓐ 일관된, 한결같은

ⓝ 일관성, 한결같음

Soils that are of a clay or sandy **consistency** are not effective in growing plants.

02 ▶

scale
[skeil]

ⓝ 음계; 규모; 저울

The notes of a musical **scale** can be rearranged to form a melody.

03 ▶

consciousness
[kánʃəsnis]

conscious
ⓐ 의식하는, 자각하는

ⓝ 의식, 자각

She said she suddenly fell down and lost **consciousness**.

04 ▶

consequently
[kánsikwəntli]

consequent
ⓐ ~의 결과로 일어나는

ⓐd 그 결과, 따라서

Michigan's economy is not doing very well; **consequently**, many college graduates are forced to move out of state in order to find jobs.

05 ▶

literature
[lítərətʃər]

literary ⓐ 문학의

ⓝ 문학

Joe has read many of the famous works of Italian **literature**.

06 ▶

unforgettable
[ʌnfərgétəbl]

unforgettably ⓐ 잊을 수 없게

ⓐ 잊을 수 없는

The car accident was an **unforgettable** event, but even with her injuries she tried not to think about it too much.

01 점토나 모래와 같은 균일성을 가진 토양은 식물을 키우는 데 효과적이지 않다. **02** 한 음계의 음들은 재배열되어 멜로디를 이룰 수 있다. **03** 그녀는 갑자기 넘어져서 의식을 잃었다고 말했다. **04** 미시간의 경제가 별로 좋지 않다. 그 결과 많은 대학 졸업생이 직장을 구하기 위해 그곳을 떠날 수밖에 없다. **05** Joe는 많은 유명한 이탈리아 문학 서적을 읽었다. **06** 그 자동차 사고는 잊을 수 없었지만, 그녀는 상처를 입었음에도 사고에 대해 너무 많이 생각하지 않으려고 했다.

07 ▶

saw
[sɔː]

ⓝ 톱 ⓥ 톱으로 자르다

Some trees were so big that two people had to use a giant **saw** to cut them down.

08 ▶

stupid
[stjúːpid]
stupidity ⓝ 어리석음

ⓐ 어리석은

She didn't tell her father about her new tattoo as she knew he would think it a **stupid** decision.

09 ▶

native
[néitiv]

ⓐ 태어난 곳의, 원주민의

Many parents are keen for their children to study French with a **native** speaker.

10 ▶

deliver
[dilívər]
delivery ⓝ (연설 등) 발표; 배달

ⓥ (연설을) 하다; 배달하다

The President was able to **deliver** a brief message of hope via the television before visiting the devastated town himself.

11 ▶

unfortunately
[ʌnfɔ́ːrtʃənitli]
unfortunate ⓐ 불운한

ⓐⓓ 불행히도

Unfortunately, today's performance will not be given by the star singer, who has lost her voice.

12 ▶

recover
[rikʌ́vər]
recovery ⓝ 회복, 되찾음

ⓥ 회복하다, 되찾다

Rest will help people **recover** quickly from seasonal illnesses like cold or flu.

---

07 몇몇 나무는 너무 커서 그것들을 베어내기 위해 두 사람이 커다란 톱을 사용해야 했다. **08** 그녀는 아버지에게 자신의 새 문신에 대해 말하지 않았다. 아버지가 그것을 어리석은 결정이라고 생각할 것을 알기 때문이었다. **09** 많은 부모는 자기 아이가 원어민과 함께 프랑스어 공부하기를 열망한다. **10** 대통령은 그 황폐해진 마을을 직접 방문하기 전에 TV를 통해 짤막한 희망의 메시지를 전할 수 있었다. **11** 불행히도, 오늘 공연에는 목 상태가 좋지 않은 그 인기가수가 출연하지 않을 것입니다. **12** 휴식은 사람들이 감기나 독감 같은 계절성 질병에서 빨리 회복하도록 도울 것이다.

03

13▶

duty
[djú:ti]

ⓝ 업무, 의무, 임무

It was the receptionist's duty to set the morning tea in the room before the meeting began.

14▶

fit
[fít]

ⓐ 알맞은, 건강한

Even after training for three months, he still wasn't sure he was fit enough for the race.

15▶

whisper
[hwíspər]

ⓥ 귓속말을 하다

She leaned closer, so her friend could whisper the name of the boy she liked.

16▶

food poisoning
[fu:d pɔ́izəniŋ]

ⓝ 식중독

Even a mild case of food poisoning can ruin your holiday, so be careful about your choice of food.

17▶

fund-raising
[fʌ́ndrèiziŋ]

ⓝ 자선 모금

Fund-raising efforts over the course of the semester had raised enough to send the class to Disneyland.

18▶

orphan
[ɔ́:rfən]
orphanage ⓝ 고아원

ⓝ 고아

No longer alone, the orphan was surprised to meet so many new friends on his first day at school.

---

13 회의를 시작하기 전에 방에 아침 차를 준비해 놓는 것이 접수 담당자의 업무였다. **14** 3개월간의 훈련 이후에도 그는 여전히 자신이 그 경주를 할 만큼 건강한지 확신할 수 없었다. **15** 그녀가 더 가까이 기대고 있어서 친구가 자신이 좋아하는 소년의 이름을 귓속말로 말할 수 있었다. **16** 가벼운 식중독이라도 당신의 휴일을 망칠 수 있다. 그러므로 음식 선택에 주의하라. **17** 학기 중의 자선 모금으로 그 반이 디즈니랜드에 갈 충분한 돈이 모였다. **18** 더는 혼자가 아닌 그 고아는 등교 첫날에 그토록 많은 새 친구들을 만나서 놀랐다.

19 ▶

account
[əkáunt]

ⓝ 계좌, 계정

In order to earn the maximum interest rate, funds must remain in the account for twelve months or more.

20 ▶

sustain
[səstéin]

sustained ⓐ 한결같은, 지속된

ⓥ 지탱하다, 유지하다

In order to sustain long-term economic growth, the government plans to regulate household debt-to-equity ratios.

21 ▶

terrific
[tərífik]

ⓐ 아주 좋은

The presentation was terrific, and the clients walked away happy with the work of the agency.

22 ▶

audience
[ɔ́ːdiəns]

ⓝ 관객, 청중

Whenever he has a concert in Seoul, he attracts an audience of thousands of screaming fans.

23 ▶

nap
[næp]

ⓝ 낮잠 ⓥ 낮잠을 자다

Some say a 20-minute nap can help energize you to face the rest of the day.

24 ▶

essential
[isénʃəl]

essence ⓝ 본질

ⓐ 필수적인

Vitamin C, which is found in most fruits, is an essential part of a healthy diet.

---

19 그 예금은 최대의 이자율을 얻기 위해서 12개월 이상 계좌에 있어야 한다. **20** 장기적인 경제 성장을 유지하기 위해서 정부는 가계 부채 비율을 규제할 계획이다. **21** 그 발표는 아주 좋았고, 고객은 업체의 노력에 만족하며 돌아갔다. **22** 그는 서울에서 콘서트를 할 때마다 소리를 지르는 수천 명의 팬 관객을 끌어들인다. **23** 어떤 이들은 20분간의 낮잠이 나머지 일과를 마주할 활력을 줄 수 있다고 말한다. **24** 비타민 C는 과일 대부분에서 발견되는데 건강식의 필수적인 부분이다.

25►

form
[fɔːrm]
formation ⓝ 형성
formal ⓐ 격식을 차린, 공식적인

ⓥ 형성시키다 ⓝ 종류, 형태

When the temperature drops below zero, ice crystals form on the windows of cars and homes.

26►

pitch
[pitʃ]

ⓝ 정도, 정점; 음높이 ⓥ 힘껏 내던지다

Unfortunately, the opera singer was unable to achieve the proper pitch during the most important song.

27►

graduate
[grǽdʒuèit / grǽdʒuit]
graduation ⓝ 졸업(식)

ⓝ 대학 졸업생, 대학원생 ⓥ 졸업하다

Most major companies only accept applications from university or college graduates.

28►

creep
[kriːp]

ⓥ 천천히 움직이다; (식물이) 벽을 타고 오르다

The cat is happiest when it can creep around the house in search of birds or mice.

29►

polish
[pɑ́liʃ]

ⓥ (광이 나도록) 닦다, 다듬다

These old shoes are still very comfortable; I just need to polish them, and they'll look like new.

30►

breeze
[briːz]

ⓥ 미풍, (부드러운) 바람

The only relief from the long, hot summers of Daegu is the occasional breeze that quietly cools everything.

---

25 기온이 0도 이하로 떨어지면 자동차나 집 창문에 얼음 결정이 형성된다. **26** 불행하게도, 그 오페라 가수는 가장 중요한 노래를 부르는 도중에 제대로 된 음높이를 낼 수가 없었다. **27** 대부분의 주요 기업은 대학이나 전문대 졸업생 지원자만 받는다. **28** 그 고양이는 새나 쥐를 찾아 집 주변을 천천히 움직일 수 있을 때가 가장 행복하다. **29** 이 오래된 신발은 여전히 편하다. 광이 나도록 닦으면 새것처럼 보일 것이다. **30** 길고 무더운 대구의 여름에서 유일한 위안은 모든 것을 식혀주는 이따금 부는 부드러운 바람이다.

31 ▶

weaken
[wíːkən]

ⓥ 약화시키다, 약화하다

Many politicians believe that the free trade agreement will weaken the national economy and be bad for the country.

32 ▶

grade
[greid]

ⓥ (등급을) 나누다

His job was simple; he had to inspect and grade the beef before it could be sold in stores.

33 ▶

antique
[æntíːk]

ⓝ 골동품

If you visit Boston, you should go shopping for antiques because there are lots of good antique shops there.

34 ▶

rough
[rʌf]

roughen ⓥ 거칠게 만들다
roughness ⓝ 거칠음

ⓐ 거친, 고르지 않은

After many hours at sea, the waters became rough and the waves began crashing into the side of the boat.

35 ▶

blank
[blæŋk]

blankly ⓐⓓ 멍하니, 우두커니

ⓐ 텅 빈; 멍한 ⓝ 빈칸

He noticed that the whiteboard was blank when he walked in the classroom.

36 ▶

trap
[træp]

entrap ⓥ 함정에 빠뜨리다

ⓥ 가두다 ⓝ 덫, 함정

The net was designed to trap only tuna, but dolphins often became stuck in it.

---

31 많은 정치인이 자유무역협정이 내수 경제를 약화시키고 국가에 해로울 것이라고 믿는다. 32 그의 일은 간단하다. 쇠고기가 가게에서 팔리기 전에 그것을 검사하고 등급을 나누는 일이다. 33 보스턴을 방문하면, 반드시 골동품 쇼핑을 해라. 그곳엔 훌륭한 골동품 가게가 많기 때문이다. 34 많은 시간이 흐른 뒤, 바다는 거칠어졌고 파도는 보트의 측면을 때리기 시작했다. 35 그는 교실 안으로 들어왔을 때, 화이트보드에 아무 것도 쓰여 있지 않은 것을 발견했다. 36 그 그물은 참치만 가두기 위해 설계되었으나, 종종 돌고래가 거기에 걸리곤 했다.

Day 03

혼동 어휘

37 ▶

insect
[ínsekt]

ⓝ 곤충

Many insects, such as those that transmit diseases or destroy agricultural goods, are considered pests.

38 ▶

insert
[insə́:rt]

insertion ⓝ 삽입, 첨가

ⓥ 삽입하다

When typing a formal letter, it is important to insert a space between paragraphs.

39 ▶

insult
[insʌ́lt / ínsʌlt]

ⓥ 모욕하다 ⓝ 무례한 말

She felt they had insulted her by repeatedly ignoring her questions.

다의어

40 ▶

term
[tə:rm]

ⓝ 용어, 명칭

Adolescent is a term for someone who is no longer a child but is not yet an adult.

ⓝ 기간

American presidents are elected to four-year terms.

---

37 질병을 옮기거나 농산품을 파괴하는 많은 곤충은 해충으로 여겨진다. **38** 공식적 서신을 칠 때는 문단 사이에 공간을 삽입하는 것이 중요하다. **39** 그녀는 그들이 자신의 질문을 거듭 무시함으로써 자신을 모욕했다고 느꼈다. **40** 청소년은 더는 아이도 아니지만, 아직 어른도 아닌 사람을 뜻하는 용어이다. / 미국 대통령은 4년을 임기로 선출한다.

A 다음 영어를 우리말로, 우리말을 영어로 쓰시오.

1	antique		11	가두다; 덫, 함정
2	deliver		12	계좌, 계정
3	duty		13	고아
4	form		14	곤충
5	grade		15	관객, 청중
6	nap		16	모욕하다; 무례한 말
7	polish		17	삽입하다
8	sustain		18	식중독
9	unforgettable		19	의식, 자각
10	whisper		20	음계; 규모; 저울

B 다음 빈칸에 알맞은 말을 쓰시오.

1	consequently	ⓐ		5	literature	ⓐ
2	recover	ⓝ		6	essential	ⓝ
3	graduate	ⓝ		7	rough	ⓥ
4	form	ⓝ		8	unfortunately	ⓐ

C 다음 빈칸에 들어갈 알맞은 말을 [보기]에서 고르시오.

보기	weaken	blank	pitching	term	trap

1 Suddenly, your mind may seem as _____ as the paper.

2 While walking through the woods near the house, he was injured by a bear _____.

3 In general, one's memories of any period necessarily _____ as one moves away from it.

4 In ancient Egypt, _____ stones was children's favorite game, but a badly thrown rock could hurt a child.

5 Paul Ekman uses the _____ 'display rules' for the social agreement about which feelings can be properly shown when.

Day 04

---

01 ▶

liberate
[líbərèit]

ⓥ 해방시키다, 자유롭게 해주다

Financial security can liberate us from having to worry about the next paycheck.

---

02 ▶

meanwhile
[mí:n*h*wàil]

ⓐⓓ 그 동안에; 한편

Meanwhile, Jane sensed something wrong in Justin's interpretation.

---

03 ▶

note
[nout]

ⓥ 주목[주의]하다; 언급하다

Please note that copyright laws serve a dual purpose.

---

04 ▶

nonetheless
[nʌnðəlés]

ⓐⓓ 그럼에도 불구하고

Detroit has been changing for the better; nonetheless, no one has been too surprised by the recent increase in crime.

---

05 ▶

occupation
[àkjəpéiʃən]
occupational ⓐ 직업의

ⓝ 직업

A common mistake in talking to celebrities is to assume that they don't know much about anything else except their occupations.

---

06 ▶

revise
[riváiz]
revision ⓝ 수정, 정정

ⓥ (계획을) 수정하다; (책을) 개정하다

Although she thought it was perfect, her boss insisted that she revise several pages of her report.

---

01 재정적 안정은 우리가 다음 번 월급에 대해서 걱정해야 하는 것으로부터 우리를 해방시켜 줄 수 있다. 02 그 사이 Jane은 Justin의 통역에서 뭔가 잘못된 것을 감지했다. 03 판권 법률은 이중의 목적에 기여한다는 점에 주목해 주세요. 04 디트로이트는 더 나은 쪽으로 바뀌고 있지만, 그럼에도 불구하고 아직도 최근에 범죄가 증가한 것에 대해 많이 놀라는 사람은 아무도 없다. 05 유명인에게 이야기할 때 하는 흔한 실수는 그들이 자신의 직업 외에는 아무것도 모를 거라고 가정하는 것이다. 06 그녀는 자신의 보고서가 완벽하다고 생각했지만, 그녀의 상사는 몇몇 페이지를 수정해야 한다고 주장했다.

07 ▶

bind
[baind]

ⓥ 묶다; 의무를 지우다

It was a very boring job; all he seemed to do was to bind stacks of newspapers together with string.

08 ▶

reduce
[ridjúːs]

reduction ⓝ 축소, 감소

ⓥ 줄이다, 낮추다

The local government is encouraging public transportation in an effort to reduce the number of cars on city streets.

09 ▶

workable
[wə́ːrkəbl]

workability ⓝ 실행 가능성

ⓐ 실행[운용] 가능한

Mary is a good program director because she often develops workable solutions to difficult problems.

10 ▶

abuse
[əbjúːz / əbjúːs]

abusive ⓐ 폭력적인, 학대하는

ⓥ 학대하다; 남용[오용]하다 ⓝ 학대; 남용[오용]

Unfortunately, it is friends and family who are most likely to abuse children, not strangers.

11 ▶

realm
[relm]

ⓝ (활동, 지식 등의) 영역

Although they seemed unbelievable when James described them, his dreams were quite within the realm of possibility.

07 그것은 아주 지루한 일이었다. 그가 할 일이라곤 신문 더미를 끈으로 한데 묶기만 하면 되어 보였다. 08 지역 정부는 시의 도로에서 자동차 수를 줄이기 위한 노력으로 대중교통을 독려하고 있다. 09 Mary는 훌륭한 프로그램 책임자이다. 왜냐하면, 종종 어려운 문제에 대해 실행 가능한 해결책을 개발하기 때문이다. 10 불행하게도 가장 쉽게 아이들을 학대할 것 같은 이들은 낯선 사람들이 아니라 친구와 가족이다. 11 James가 그들에게 자신의 꿈을 설명할 때 그들은 믿기 어려워했지만, 그의 꿈은 꽤 실현 가능한 영역 내에 들어와 있었다.

12 ▶

boundary
[báundəri]

ⓝ 경계, 한계

In some mountainous areas of Europe, it is difficult to say where the national boundaries are drawn.

13 ▶

efficient
[ifíʃənt]

efficiency ⓝ 효율(성), 능률
efficiently ad 능률적으로

ⓐ 효율적인, 효율성이 높은

From a mechanical point of view, the energy produced by modern-day engines is not an efficient use of fossil fuel.

14 ▶

simplify
[sìmpləfài]

simplification ⓝ 단순화
simple ⓐ 단순한, 간단한

ⓥ 단순화하다

It can be challenging to take a complex idea and simplify it so that it can be easily understood.

15 ▶

underwater
[ʌ̀ndərwɔ́:tər]

ⓐ 수중의 ad 수중에서

The human body loses heat underwater at a rate two or three times faster than in air of the same temperature.

16 ▶

acknowledge
[əknɑ́lidʒ]

ⓥ 인정하다

One way of listening actively is to acknowledge and empathize with the speaker's feelings about what he or she is saying.

---

12 유럽의 일부 산악 지대에서는 어디에 국경선이 그려져 있는지 말하기가 어렵다. 13 기계적인 관점에서 볼 때 현대의 엔진에서 생산되는 에너지는 효율적인 화석 연료의 사용이 아니다. 14 복잡한 아이디어를 잡아 이해하기 쉽도록 단순화하는 것은 의욕적인 일일 수 있다. 15 수중에서 인체는 같은 온도의 대기에서보다 두 배에서 세 배 더 빠른 속도로 열을 잃는다. 16 적극적으로 듣기의 한 가지 방법은 말하고 있는 것에 관련된 화자의 감정을 인정하고 공감하는 것이다.

17▶

instinct
[ínstiŋkt]
instinctive ⓐ 본능적인

ⓝ 본능

My instinct tells me that I shouldn't buy the used car that this salesman is trying to sell me for half price.

18▶

depict
[dipíkt]
depiction ⓝ 묘사, 서술
depictive ⓐ 묘사[서술]적인

ⓥ 묘사하다, 서술하다

Many movies depict violent historical events as being glamorous.

19▶

specialty
[spéʃəlti]

ⓝ 전문, 장기; 특성

My doctor's specialty is dealing with back problems caused by sports injuries.

20▶

reply
[riplái]

ⓥ 대답[응답]하다

I often reply to my mother's handwritten letters by e-mail, which bothers her a great deal.

21▶

swallow
[swάlou]

ⓥ 삼키다

Patients with a sore throat are unable to swallow without a minor amount of pain.

22▶

horrific
[hɔːrífik]

ⓐ 무시무시한

My brother had a motorcycle accident, and his injuries were horrific.

---

17 나의 본능은 이 판매원이 나에게 반값으로 팔려고 애쓰는 중고차를 사면 안 된다고 말한다. 18 많은 영화가 폭력적인 역사적 사건들을 매혹적으로 묘사한다. 19 내 주치의는 운동 경기 중의 부상에서 비롯된 척추 문제를 다루는 것이 전문이다. 20 나는 종종 우리 어머니가 손으로 쓴 편지에 이메일로 답변하는데, 이것이 어머니를 매우 성가시게 만든다. 21 인후염 환자들은 무엇을 삼킬 때마다 조금이라도 고통을 느낀다. 22 내 남동생이 오토바이 사고를 당했는데 그 부상은 끔찍했다.

23 ▶

ritual
[rítʃuəl]

ⓝ 의식, 의례

The monks performed the Buddhist **rituals** of lighting the candles and praying.

---

24 ▶

irritable
[írətəbl]

ⓐ 짜증을 잘 내는

Mike is often tired and **irritable** after a long day at work.

irritate ⓥ 짜증나게 하다

---

25 ▶

lower
[lóuər]

ⓥ 낮추다, 떨어뜨리다

I often ask my friends to **lower** the temperature in their house to save energy.

---

26 ▶

multiply
[mʌ́ltəplài]

ⓥ 증가시키다

Smoking can **multiply** the risk of lung cancer and other diseases.

---

27 ▶

overweight
[óuvərwèit]

ⓐ 중량 초과의; 비만의, 과체중의

My luggage on the flight home was more than twenty-five kilograms **overweight**.

---

28 ▶

authority
[əθɔ́:riti]

ⓝ 권한, 권위; 당국

After I was arrested for no apparent reason, I demanded to speak to the **authorities**.

authorize ⓥ 권한을 부여하다
authoritative ⓐ 권위 있는

---

29 ▶

mindful
[máindfəl]

ⓐ 의식하는, 염두에 두는, 잊지 않는

Parents must be **mindful** of their responsibilities to their children.

---

23 그 수도승들은 초에 불을 붙이고 기도를 하는 불교 의식을 거행했다. **24** Mike는 온종일 일한 후 종종 피곤해하고 짜증을 잘 낸다. **25** 나는 자주 친구들에게 에너지를 절약하기 위해 실내 온도를 낮추라고 부탁한다. **26** 흡연은 폐암과 다른 질병의 위험을 증가시킬 수 있다. **27** 귀국 비행기의 내 수하물은 25킬로그램 이상 중량 초과였다. **28** 내가 아무런 명백한 이유 없이 체포 당한 후 당국과 이야기하게 해달라고 요구했다. **29** 부모는 자신의 아이에 대한 책임을 잊지 않아야 한다.

30 ▶

commute
[kəmjúːt]
commuter ⓝ 통근자

ⓥ 통근하다

I decided to take a job close to where I live because I did not want to commute.

31 ▶

evolve
[ivάlv]
evolution ⓝ 진화; 발전

ⓥ 발달하다; 진화하다

If you spend time living in a foreign culture, your understanding of the customs and traditions will evolve.

32 ▶

cherish
[tʃériʃ]

ⓥ 소중히 하다, 중요하게 여기다

I cherish the memory of the day that I first met my wife.

33 ▶

disastrous
[dizǽstrəs]
disaster ⓝ 재난, 재앙

ⓐ 처참한, 피해가 막심한

I just planted strawberries in my back yard, and it would be disastrous if a snowstorm hit.

34 ▶

differ
[dífər]
different ⓐ 다른
difference ⓝ 다름, 차이

ⓥ 다르다

Men and women differ from each other in their ability to handle stress.

35 ▶

harness
[háːrnis]

ⓥ (자원 등을) 이용하다, 통제하다 ⓝ 마구(馬具); 벨트

Energy companies are increasingly trying to harness the limitless power of the wind and the sun.

---

30 나는 통근하고 싶지 않아서 내가 사는 곳에서 가까운 직장을 택하기로 결정했다. **31** 외국 문화권에서 살면서 시간을 보내면 관습과 전통에 대한 이해가 발달할 것이다. **32** 나는 내가 처음 아내를 만난 날의 기억을 소중히 여긴다. **33** 나는 방금 뒷마당에 딸기를 심었는데 눈보라가 친다면 피해가 막심할 것이었다. **34** 남자와 여자는 스트레스를 다루는 능력이 서로 다르다. **35** 전력 회사들은 바람과 태양의 무한한 에너지를 점점 더 많이 이용하려고 노력한다.

Day 04

어근	ceive '취하다'

36▶

receive
[risíːv]
receptive ⓐ 수용적인

ⓥ 받다

I was unable to receive a tax refund this year because I was late in filing my taxes.

37▶

conceive
[kənsíːv]
conception ⓝ 구상; 이해

ⓥ 생각해내다, 구상하다

It would be almost impossible to conceive of this award without all the support my colleagues gave me these past two years.

38▶

perceive
[pərsíːv]
perception ⓝ 지각; 통찰력

ⓥ 인지하다, 알아차리다

Young students who do poorly in school often incorrectly perceive themselves to be failures.

39▶

deceive
[disíːv]
deception ⓝ 속임수, 사기
deceptive ⓐ 기만적인

ⓥ 속이다, 기만하다

Don't try to deceive the police interrogator with dishonest answers; you will be given a lie-detector test.

다의어	

40▶

coin
[kɔin]
coinage ⓝ 주화, 통화; 신조어

ⓝ 동전

Coins smaller than one dollar are more expensive to produce than their face value.

ⓥ 새로운 말을 만들다

The word "stress" is thought to have been coined in the late 1950s.

36 나는 내 세금을 제출하는 데 늦었기 때문에 올해에는 세금 환급을 받지 못했다. 37 지난 2년 동안 내 동료가 나에게 해준 모든 지원이 없었더라면 이 상은 거의 상상하지도 못했을 것이다. 38 학교에서 잘 생활하지 못하는 어린 학생들은 종종 자신을 패배자라고 잘못 인지한다. 39 부정직한 대답으로 경찰 심문자를 속이려고 하지 마라. 거짓말 탐지기 조사를 받게 될 것이다. 40 1달러보다 작은 동전은 액면가보다 생산하는 데 돈이 더 많이 든다. / '스트레스'라는 단어는 1950년대 후반에 만들어진 것으로 여겨진다.

A 다음 영어를 우리말로, 우리말을 영어로 쓰시오.

1	bind	_____	11 다르다	_____
2	efficient	_____	12 그 동안에; 한편	_____
3	lower	_____	13 묘사하다, 서술하다	_____
4	perceive	_____	14 무시무시한	_____
5	realm	_____	15 속이다, 기만하다	_____
6	reduce	_____	16 의식, 의례	_____
7	reply	_____	17 인정하다	_____
8	specialty	_____	18 짜증을 잘 내는	_____
9	swallow	_____	19 주목하다; 언급하다	_____
10	underwater	_____	20 통근하다	_____

B 다음 빈칸에 알맞은 말을 쓰시오.

1	differ	ⓐ _____	5	abuse	ⓐ _____
2	reduce	ⓝ _____	6	irritable	ⓥ _____
3	instinct	ⓐ _____	7	evolve	ⓝ _____
4	simplify	ⓐ _____	8	revise	ⓝ _____

C 다음 빈칸에 들어갈 알맞은 말을 보기 에서 고르시오.

보기	boundary	mindful	overweight	receive	occupation

1 Doctors warn about the increasing number of _____ children.

2 It is important to be _____ about every single aspect of purchasing food.

3 Please state you name, address and _____ on the insurance application form.

4 It usually took five weeks for Benjamin Franklin in Paris to _____ a letter sent from Philadelphia.

5 Baekdu Mountain, which sits near the _____ of North Korea and China, is a volcano.

Day 05

---

01 ▶

objective
[əbdʒéktiv]

ⓐ 객관적인 ⓝ 목적

Few scientists are truly objective.

---

02 ▶

raise
[reiz]

ⓥ 모금하다; 기르다; 들어 올리다 ⓝ 인상

He managed to raise enough money in time.

---

03 ▶

maximize
[mǽksəmàiz]

ⓥ 극대화하다, 최대화하다

She was able to maximize the potential of the product.

---

04 ▶

eventually
[ivéntʃuəli]

eventual ⓐ 최종적인

ad 결국

Researchers are positive that they will eventually succeed in discovering a cure for cancer.

---

05 ▶

bravery
[bréivəri]

brave ⓐ 용감한

ⓝ 용감함, 용감한 행동

William Wallace's acts of bravery won the battle of Stirling.

---

06 ▶

wound
[wuːnd]

ⓝ 상처 ⓥ 상처를 입히다

Five people were wounded in the attack on the bank.

---

01 진실로 객관적인 과학자는 거의 없다. 02 그는 간신히 제때에 충분한 돈을 모을 수 있었다. 03 그녀는 제품의 잠재성을 극대화할 수 있었다. 04 연구원들은 그들이 결국 암 치료법을 발견하는 데 성공할 거라고 긍정적으로 생각한다. 05 William Wallace의 용기 있는 행동이 스털링 전투를 승리로 이끌었다. 06 은행 습격 사건으로 다섯 명이 상처를 입었다.

07 ▶

commerce
[kámə:rs]

commercial
ⓐ 상업의, 상업적인

ⓝ 무역, 상거래, 상업

The government decided to promote commerce and industry in the new year.

08 ▶

tickle
[tíkəl]

ticklish ⓐ 간지럼을 잘 타는

ⓥ 간지럼 태우다, 간지럽다

The fur on a rabbit's nose often tickles it and makes it sneeze.

09 ▶

unease
[ʌníːz]

uneasy ⓐ 불안한, 우려되는

ⓝ 불안, 우려

As Jerry neared the open door of his house, he felt a growing sense of unease that everything had been stolen.

10 ▶

frequency
[fríːkwənsi]

frequent ⓐ 잦은, 빈번한

ⓝ 빈도; 주파수

There is a higher frequency of diabetes in adults who are overweight.

11 ▶

mental
[méntl]

mentally ad 정신적으로

ⓐ 마음의, 정신적인

The local medical center provides help for people who are suffering from mental illnesses.

12 ▶

govern
[gʌ́vərn]

government ⓝ 정부, 정권

ⓥ 다스리다, 지배하다

Leaders who govern a country must be aware of the needs and wants of their citizens.

---

07 정부는 새해에는 무역과 산업을 증진하기로 결정했다. **08** 토끼 코에 있는 털은 종종 그것을 간질여서 재채기를 하게 만든다. **09** Jerry는 열려 있는 자기 집 문으로 다가가면서 모든 것을 도둑맞았을 것이라는 불안감이 커지는 것을 느꼈다. **10** 체중이 많이 나가는 성인들에게서 당뇨병이 걸릴 빈도가 더 높다. **11** 지역의 의료센터는 정신적 질병으로 고통받는 사람들에게 도움을 준다. **12** 나라를 다스리는 지도자들은 시민이 필요로 하고 원하는 것을 알아야 한다.

13▶

generation gap
[ʤènəréiʃən gæp]

ⓝ 세대차이

When I was a teenager, I often felt that because of the generation gap my parents did not understand me.

14▶

light
[lait]

ⓥ 빛을 비추다; 불을 붙이다

The detective stopped to light a cigarette under the glow of the streetlamp.

15▶

stare
[stɛər]

ⓥ 응시하다 ⓝ 응시

In some cultures, it is very rude to stare at a stranger in public.

16▶

lack
[læk]

ⓝ 결핍 ⓥ ~이 부족하다

Many young teachers are treated with a lack of respect by their older colleagues.

17▶

despair
[dispέər]

desperate ⓐ 자포자기한

ⓝ 절망 ⓥ 체념하다

To the despair of the workers, the factory decided to close.

18▶

rule
[ru:l]

ⓥ 통치[지배]하다

Alexander the Great ruled over a large empire, but only for a very short time.

---

13 내가 십대였을 때, 나는 종종 세대차이 때문에 우리 부모님이 나를 이해하지 못한다고 느꼈다. 14 그 탐정은 담배에 불을 붙이기 위해 가로등 불빛 아래에서 멈췄다. 15 어떤 문화권에서는 공공연히 낯선 사람을 응시하는 것은 아주 무례한 일이다. 16 나이가 많은 동료는 나이가 어린 젊은 교사들을 존중하는 마음 없이 대한다. 17 근로자들에게는 절망스럽게도 공장을 폐쇄하기로 결정했다. 18 알렉산더 대왕은 거대한 제국을 통치했지만, 그 기간은 짧은 시간에 불과했다.

19 ▶

imprison
[impríz∂n]

imprisonment ⓝ 투옥, 구금

ⓥ 투옥하다, 갇히게 하다

After being convicted of the crime, she was imprisoned for 10 years.

20 ▶

notion
[nóuʃ∂n]

ⓝ 생각, 관념

The notion of marriage originated thousands of years ago.

21 ▶

bear
[bɛ∂r]

ⓥ 견디다, 감당하다; (아기를) 낳다

Customers in restaurants can be insulting, but servers just have to bear with it.

22 ▶

biological
[bàiəládʒikəl]

biology ⓝ 생물학

ⓐ 생물학의

Because they are so dangerous, there is an international ban on biological weapons.

23 ▶

servant
[só:rvənt]

ⓝ 하인, 고용인

In the early 1900s, many young women became domestic servants.

24 ▶

colony
[káləni]

colonize ⓥ 식민지로 만들다
colonial ⓐ 식민지의

ⓝ 식민지

India was a British colony until the movement for independence was won.

---

19 그녀는 유죄를 선고받고 나서 10년 동안 복역했다. 20 결혼이라는 개념은 수천 년 전에 유래되었다. 21 레스토랑의 손님들은 무례하게 굴 수 있지만, 웨이터들은 그것을 참아야 한다. 22 생물학적 무기는 매우 위험하기 때문에 국제적으로 금지되어 있다. 23 1900년대 초에는 많은 젊은 여성들이 집안일을 하는 하인이 되었다. 24 인도는 독립 운동이 성공을 거두기 전까지는 영국의 식민지였다.

25▶

distinctive
[distíŋktiv]

ⓐ 독특한, 특색 있는

If you heard Michael Jackson sing, you know he was a singer with a distinctive voice.

26▶

feature
[fíːtʃər]

ⓝ 특징, 특성 ⓥ 특징으로 삼다

Most new cars have front and side airbags as a standard feature in all models.

27▶

religious
[rilídʒəs]

religion ⓝ 종교

ⓐ 종교적인

Ever since childhood, I have adhered to my parents' religious views.

28▶

roar
[rɔːr]

ⓥ (큰 짐승이) 으르렁거리다, 굉음을 내다

We heard the lion roar from several hundred feet away, and we were terrified.

29▶

beloved
[bilʌ́vd]

ⓐ 사랑 받는, 인기 많은

These days he spends so much time playing on his beloved computer.

30▶

orbit
[ɔ́ːrbit]

orbital ⓐ 궤도의

ⓝ 궤도 ⓥ 궤도를 돌다

The moon's orbit around the earth is not a perfect circle but follows more of an oval shape.

---

25 마이클 잭슨이 노래하는 것을 들었다면 그가 독특한 목소리를 가진 가수였다는 것을 안다. **26** 대부분의 신차는 전 차종에 표준 사양으로 전면과 측면 에어백이 있다. **27** 어린 시절부터 나는 부모님의 종교관을 따랐다. **28** 우리는 몇 백 발자국 앞에서 사자가 으르렁거리는 소리를 듣고 공포에 질렸다. **29** 그는 요즘 자기가 좋아하는 컴퓨터를 가지고 노는 데 매우 많은 시간을 보낸다. **30** 지구를 도는 달의 궤도는 완전한 원형이 아니라 타원형에 더 가깝다.

31 ▶

irresistible
[ìrizístəbl]

ⓐ 거부할 수 없는

The proposal to cut taxes by fifteen percent seems almost irresistible to voters in this city.

32 ▶

smooth
[smu:ð]

ⓐ 부드러운, 매끄러운

The stone steps of some old cathedrals are worn smooth from so much use.

33 ▶

direct
[dirékt]

ⓥ 겨냥하다; 지휘하다 ⓐ 직접적인

The underwater machine directs powerful sound waves upwards and outwards.

34 ▶

duration
[djuəréiʃən]

ⓝ 지속 기간

A jeep is available for you to rent for the duration of your holiday here in Zimbabwe.

35 ▶

surgeon
[sə́:rdʒən]

surgical ⓐ 수술의

ⓝ 외과 전문의

Worldwide, the education and training required to become a surgeon is very demanding.

---

31 세금을 15%까지 삭감하자는 제안은 이 도시의 유권자들에게 거의 거부할 수 없는 것 같다. **32** 몇몇 오래된 성당 앞 돌 계단은 너무 많이 사용해서 매끄럽게 닳았다. **33** 그 수중 기계는 강력한 음파를 위아 전방으로 내보낸다. **34** 지프는 당신이 이곳 짐바브웨에서 휴일을 보내는 기간 동안 대여할 수 있다. **35** 전 세계적으로 외과 전문의가 되기 위한 교육과 훈련은 몹시 힘들다.

36 ▶

modify
[mάdəfài]

modification ⓝ 수정, 변경

ⓥ 수정하다, 바꾸다

She decided to modify the way she behaved toward her peers, and the success was astounding.

---

37 ▶

faucet
[fɔ́:sit]

ⓝ 수도꼭지

The bathrooms of suites in five-star hotels are often fitted with solid-gold faucets.

혼동 어휘

38 ▶

bold
[bould]

ⓐ 용기 있는, 과감한

Very few Democrats have been bold enough to oppose the plan to cut taxes.

---

39 ▶

bald
[bɔ:ld]

ⓐ 대머리인, 대머리의

All the males in my family have gone completely bald by the time they turned thirty.

다의어

40 ▶

lead
[li:d / led]

ⓥ 이끌다

Although we tried to lead the horses into the barn, they refused to follow us.

ⓝ 납

The use of lead in plumbing is no longer permitted in many countries.

🔓 36 그녀는 동료를 향한 행동 방식을 바꾸기로 했고, 그 성공은 놀라웠다. 37 5성급 호텔의 스위트룸 화장실은 종종 순금 수도꼭지가 설치되어 있다. 38 세금을 삭감하는 계획에 반대할 만큼 용기 있는 민주당원들은 매우 드물다. 39 우리 가족의 남자들은 모두 서른 살이 될 때쯤에 완전히 대머리가 되었다. 40 우리가 마구간으로 말들을 이끌려고 했지만 우리를 따라오는 것을 거부했다. / 수도 시설에 납을 사용하는 것은 많은 나라에서 더는 허용되지 않는다.

A 다음 영어를 우리말로, 우리말을 영어로 쓰시오.

1 beloved _____
2 colony _____
3 distinctive _____
4 imprison _____
5 mental _____
6 religious _____
7 servant _____
8 maximize _____
9 tickle _____
10 wound _____

11 객관적인; 목적 _____
12 대머리인 _____
13 빈도, 주파수 _____
14 세대차이 _____
15 수도꼭지 _____
16 외과 전문의 _____
17 응시하다; 응시 _____
18 절망; 체념하다 _____
19 지속 기간 _____
20 통치[지배]하다 _____

B 다음 빈칸에 알맞은 말을 쓰시오.

1 bravery ⓐ _____
2 unease ⓐ _____
3 eventually ⓐ _____
4 mental ⓐⓓ _____

5 commerce ⓐ _____
6 despair ⓐ _____
7 religious ⓝ _____
8 modify ⓝ _____

C 다음 빈칸에 들어갈 알맞은 말을 보기 에서 고르시오.

보기 leads   modified   features   irresistible   lack

1 In the game, the players use a broomstick to throw an old bicycle tire that has been specially _____ to make it floppy.

2 The tension is due to physical contact, the _____ of control, and the fear of whether it will tickle or hurt.

3 All of a sudden, he had a(n) _____ urge to go to see his beloved wife and his two sons.

4 The exclusion of new technology generally _____ to social change that will soon follow.

5 The latest exhibition at the arts center _____ paintings and sculptures by the artist Botero.

over

01▶
pull over
(차 등을) 세우다, 대다

While he was driving the car down the deserted highway, Melissa suggested that he pull over and look at the map.

02▶
take over
인수하다, 인계하다

My mother asked me to take over stirring the spaghetti sauce while she started making the salad for dinner.

03▶
turn over
뒤집다

The lecturer told her students to turn the paper over and confirm their answers to the math problems.

04▶
bend over
몸을 굽히다

During my annual medical checkup, my doctor always makes me bend over and touch my knees.

by

05▶
side by side
나란히

A research team placed pairs of dogs side by side in front of a person.

06▶
stop by
잠시 들르다

I've been planning to stop by Craig's house for a short visit, but I keep forgetting.

07▶
drop by
잠깐 들르다

I dropped by to pick up the budget report for this month.

08▶
one by one
차례로

The candidates for the junior management position were interviewed one by one.

---

01 그가 황량한 고속도로에서 운전하는 동안 Melissa는 차를 세우고 지도를 보라고 제안했다. **02** 어머니는 저녁 식사를 위해 샐러드를 만들기 시작하면서 나에게 스파게티 소스 젓는 것을 이어서 하라고 부탁하셨다. **03** 그 강사는 자신의 학생들에게 시험지를 뒤집어 수학 문제에 대한 답을 확인하라고 말했다. **04** 매년 있는 건강 검진에서 의사 선생님은 항상 나의 몸을 굽혀서 무릎에 닿도록 한다. **05** 한 연구팀이 여러 쌍의 개를 어떤 사람 앞에 나란히 놓았다. **06** 나는 Craig의 집에 잠시 들를 계획이었지만, 계속 잊어버린다. **07** 나는 이번 달 예산 보고서를 가지러 잠깐 들렀다. **08** 하급 관리직 지원자들은 차례로 면접을 보았다.

Day 06 ~ 10

앞으로 학습할 어휘 중 알고 있는 단어가 있는지 먼저 체크해 보세요.

- ☐ device
- ☐ performance
- ☐ brilliant
- ☐ annual
- ☐ ancestor
- ☐ volunteer
- ☐ aim
- ☐ worship
- ☐ career
- ☐ indicate
- ☐ embarrass
- ☐ emphasize
- ☐ faith
- ☐ gradual
- ☐ possess
- ☐ publish
- ☐ pressure
- ☐ recycle
- ☐ instant
- ☐ retire

☑ / 20

01 ▶

regain
[rigéin]

ⓥ 되찾다, 회복하다

They have regained their competitiveness in the world market.

02 ▶

rehearse
[rihɔ́ːrs]

rehearsal ⓝ 리허설, 예행 연습

ⓥ 반복하다; 리허설을 하다

The congressmen have rehearsed the arguments several times before.

03 ▶

ruin
[rú(:)in]

ⓥ 망치다; 파멸시키다 ⓝ 파멸, 몰락

Don't let the election ruin your friendship.

04 ▶

device
[diváis]

ⓝ 장치

Sarah's company makes devices that can measure the amount of pollution in the air.

05 ▶

appliance
[əpláiəns]

ⓝ 기구

Kitchen appliances account for a large amount of the electricity consumed by private households.

06 ▶

addict
[ǽdikt]

addictive ⓐ 중독된
addiction ⓝ 중독

ⓝ (약물 등의) 중독자

My seven-year-old nephew Kody is a complete video game addict.

> **01** 그들은 세계 시장에서의 경쟁력을 회복했다. **02** 국회의원들은 그 논의 사항을 이전에 몇 번이나 이야기했다. **03** 선거로 인해 너희의 우정에 금이 가게 하지 않도록 해라. **04** Sarah의 회사는 대기 중의 오염의 양을 측정할 수 있는 장치를 만든다. **05** 주방 기구들은 가정에서 소비되는 전기의 많은 양을 차지한다. **06** 나의 7살짜리 조카 Kody는 완전히 비디오 게임 중독자이다.

07▶

plain
[plein]

ⓐ 단순한, 간단한; 무늬가 없는

I prefer **plain** interior decorations rather than colorful and fancy ones.

08▶

vegetarian
[vèdʒətɛ́əriən]

ⓐ 채식을 하는 ⓝ 채식주의자

One of my best friends has been a **vegetarian** since he was in middle school.

09▶

payment
[péimənt]

ⓝ 지급, 지불; 보답; 급여

Please make sure that the **payment** is sent to my account at National Bank and not Federal Bank.

10▶

full-scale
[fúlskéil]

ⓐ 실물 크기의

The Ferrari designers made a **full-scale** model of the new F1 race car.

11▶

semester
[siméstər]

ⓝ 학기

Our spring **semester** is scheduled to begin on the first day of March and end on the last day of June.

12▶

parallel
[pǽrəlèl]

ⓐ 평행한; 아주 유사한

The newly built high-speed rail line from New York to Miami runs **parallel** to the highway.

07 나는 알록달록하고 화려한 것보다는 단순한 인테리어 장식을 더 좋아한다. **08** 내 친한 친구 중 한 명은 중학교 때부터 채식주의자이다. **09** 급여는 페더럴 뱅크가 아닌 내셔널 뱅크에 있는 제 계좌로 보내주시기 바랍니다. **10** 그 페라리 디자이너는 신형 F1 경주용 자동차의 실물 크기의 모델을 제작했다. **11** 우리의 봄 학기는 3월 1일에 시작해서 6월 30일에 끝날 계획이다. **12** 새로 건설된 뉴욕 발 마이애미 행 고속열차의 선로는 고속도로와 나란히 뻗어 있다.

13 ▶

warranty
[wɔ́(:)rənti]

ⓝ 품질 보증(서)

When I bought this laptop, I didn't realize that it only had a one-month warranty.

14 ▶

volunteer
[vάləntíər]

ⓥ 자진하다; 자원 봉사하다 ⓝ 자원봉사자

I volunteered to drive my friends home after they told me they didn't have any money for a taxi.

15 ▶

embarrass
[imbǽrəs]

embarrassment
ⓝ 창피함, 난처한 상황

ⓥ 창피하게[난처하게] 만들다

I didn't mean to embarrass her by asking so many questions, but I noticed that her face turned red.

16 ▶

registration
[rèdʒəstréiʃən]

register ⓥ 등록[신고]하다

ⓝ 등록, (출생, 사망 등의) 신고

The registration fee for the driver's license exam is $75 for first-time applicants.

17 ▶

landlord
[lǽndlɔ̀ːrd]

ⓝ 집주인, 임대인

My landlord is a 70-year-old man, who is one of the most warmhearted people I have ever met.

18 ▶

tenant
[ténənt]

ⓝ 세입자, 임차인

The furniture in my house was left there by the previous tenant, so I decided to keep it.

🔊 **13** 내가 이 노트북 컴퓨터를 샀을 때, 나는 품질 보증 기간이 겨우 한 달이라는 것을 몰랐다. **14** 나는 친구들이 택시비가 없다고 내게 말했을 때 자진해서 그들을 집까지 태워다 주었다. **15** 나는 그렇게 많은 질문으로 그녀를 난처하게 할 의도는 없었지만, 그녀의 얼굴이 빨개진 것을 보았다. **16** 운전면허 시험 등록비는 최초의 응시자의 경우 75달러이다. **17** 나의 집주인은 70세 노인인데, 그는 내가 만난 가장 마음이 따뜻한 사람 중 한 명이다. **18** 우리 집에 있는 가구들은 이전 세입자가 남겨둬서 나는 그 가구를 쓰기로 결정했다.

19 ▶

overnight
[óuvərnàit]

ad 하룻밤 사이에

The crews spent most of the afternoon painting, then they locked the doors to let the paint dry overnight.

20 ▶

rent
[rent]

v 임대하다, 빌리다

In many large North American cities, it is impossible to rent a decent apartment for less than $1,000 per month.

21 ▶

reside
[ri:sáid]

resident **a** 거주하는 **n** 거주자
residence **n** 거주(지)

v 거주하다, 살다

Dr. David Livingstone, a native of England, resided in Africa for more than 20 years.

22 ▶

signature
[sígnətʃər]

sign **v** 서명하다

n 사인, 서명; 특징

The students collected 400 signatures for their petition to keep the school open.

23 ▶

loan
[loun]

v 빌려주다 **n** 대출(금)

Videos and DVDs can be loaned for two days and cannot be renewed.

24 ▶

agriculture
[ǽgrikʌ̀ltʃər]

agricultural **a** 농업의

n 농업

Compared with techniques used in the early 20th century, contemporary agriculture has resulted in vastly increased crop yields.

19 일꾼들은 오후 시간 대부분을 페인트 칠하는 데 보냈고, 하룻밤 사이에 페인트가 마르도록 문을 잠갔다. 20 많은 북미 대도시에서 월 1,000달러 이하로 괜찮은 아파트를 임대하기는 불가능하다. 21 영국 태생인 David Livingstone 박사는 아프리카에서 20년이 넘도록 거주했다. 22 그 학생들은 학교를 유지하기 위한 청원을 위해 400명의 서명을 모았다. 23 비디오와 DVD는 이틀 동안 대여할 수 있고 갱신될 수 없다. 24 20세기 초에 사용된 기술과 비교해서 현대 농업은 농작물 수확량을 매우 증가시켰다.

25▶

responsible
[rispánsəbl]

responsibility ⓝ 책임, 책무
responsibly ⓐⓓ 책임감 있게

ⓐ 책임이 있는

The boss asked me that I be **responsible** for the visitors from China during their stay with us.

26▶

swift
[swift]

swiftly ⓐⓓ 재빨리, 신속히

ⓐ 빠른, 신속한

My letter of complaint to Congressman Jones received a **swift** reply but not a positive one.

27▶

seize
[siːz]

ⓥ 꽉 쥐다, 움켜쥐다

John **seized** Esther's hand and begged her not to leave him.

28▶

suspect
[səspékt / sʌ́spekt]

suspicious ⓐ 수상쩍어 하는
suspicion ⓝ 혐의, 의혹

ⓥ 수상쩍어 하다 ⓝ 용의자

She strongly **suspected** that the mechanic had not checked her engine oil as he said he had.

29▶

publish
[pʌ́bliʃ]

publication ⓝ 출간(물)

ⓥ 출판하다; 공개[발표]하다

The *New York Times*, widely regarded as the best American newspaper, is **published** daily.

30▶

genre
[ʒáːnrə]

ⓝ 장르

My absolute favorite **genre** of movies is historical films.

25 사장은 중국에서 온 손님들이 우리와 함께 있는 동안 내가 책임을 맡으라고 했다. **26** 국회의원 Jones에 대한 나의 불만 서한은 빠른 답신을 받았으나, 그 내용은 긍정적이지 않았다. **27** John은 Esther의 손을 꽉 쥐고 자기를 떠나지 말라고 애원했다. **28** 그녀는 그 수리공이 엔진 오일을 점검했다고 말했지만, 하지 않았다고 강하게 의심했다. **29** 미국 최고의 신문으로 널리 여겨지는 뉴욕 타임즈는 매일 발행된다. **30** 내가 가장 좋아하는 영화 장르는 역사 영화이다.

31▶

fuel
[fjúːəl]

ⓥ 연료를 넣다; 악화시키다; 부채질하다　ⓝ 연료

The leader's comments began to fuel anger in the group of protesters that had gathered.

32▶

awesome
[ɔ́ːsəm]

ⓐ 굉장한, 엄청난

I recently saw the rock band Metallica in concert, and it was awesome.

33▶

laboratory
[lǽbərətɔ̀ːri]

ⓝ 실험실

There is room for one more student in the research laboratory on the second floor.

혼동 어휘

34▶

occur
[əkə́ːr]
occurrence ⓝ 발생, 존재

ⓥ 발생하다; 존재하다

The solar eclipse is scheduled to occur at around noon tomorrow.

35▶

recur
[rikə́ːr]
recurrence ⓝ 반복, 되풀이
recurrent ⓐ 반복되는

ⓥ 다시 일어나다, 반복되다

Since this problem seems to recur quite often, we are going to have to find a way to deal with it.

31 그 지도자의 말은 모여든 항의자들의 화를 부채질하기 시작했다.　**32** 나는 최근에 콘서트에서 록 밴드 Metallica를 보았는데, 그 밴드는 아주 멋있었다.　**33** 2층에 있는 연구 실험실에 학생 한 명이 더 들어갈 공간이 있다.　**34** 일식은 내일 정오쯤에 발생할 예정이다.　**35** 이 문제가 상당히 자주 되풀이되는 것 같으므로 우리는 이 문제를 다룰 방법을 찾아야 할 것이다.

어근	spir '숨 쉬다 (= breathe)'

36 ▶

inspire
[inspáiər]

inspiration ⓝ 영감(을 주는 것)
inspiring ⓐ 고무[격려]하는

ⓥ 고무하다, 영감을 주다

The paintings of the early Impressionists have inspired generations of artists that have come after them.

---

37 ▶

perspire
[pərspáiər]

perspiration ⓝ 땀 (흘리기)

ⓥ 땀을 흘리다

When the human body perspires, it is because it is trying to cool off from an excess of heat.

---

38 ▶

respire
[rispáiər]

respiration ⓝ 호흡

ⓥ 호흡하다

The patient is now able to respire without the aid of a machine.

---

39 ▶

conspire
[kənspáiər]

conspiracy ⓝ 음모, 모의

ⓥ 음모를 꾸미다

There was evidence that the traitors conspired against the president.

Tips conspiracy theory는 '음모 이론'이라는 뜻이다.

---

40 ▶

aspire
[əspáiər]

aspiration ⓝ 열망, 염원

ⓥ 열망하다

In reality, he aspires to much greater things than his parents ever achieved.

Coins reflect both a country's history and its aspirations, and it is natural that collections based on place of origin should develop.

---

36 초기 인상파 화가들의 그림은 그들의 뒤를 이은 여러 세대의 화가들에게 영감을 주었다. 37 인간의 몸이 땀을 흘리는 것은 지나친 열을 식히려고 하기 때문이다. 38 그 환자는 이제 기계의 도움 없이 호흡할 수 있다. 39 그 반역자가 대통령을 몰아낼 음모를 꾸몄다는 증거가 있었다. 40 사실 그는 자신의 부모님이 성취한 것보다 훨씬 더 큰 것을 열망한다. / 동전은 한 나라의 역사와 그것의 열망을 반영하며, 처음 만들어진 곳에 기초를 둔 수집이 발달하는 것이 당연하다.

A 다음 영어를 우리말로, 우리말을 영어로 쓰시오.

1	device	_____	11	거주하다, 살다	_____
2	embarrass	_____	12	굉장한, 엄청난	_____
3	inspire	_____	13	꽉 쥐다, 움켜쥐다	_____
4	landlord	_____	14	농업	_____
5	parallel	_____	15	기구	_____
6	payment	_____	16	실물 크기의	_____
7	recur	_____	17	열망하다	_____
8	rent	_____	18	장르	_____
9	tenant	_____	19	책임이 있는	_____
10	vegetarian	_____	20	품질 보증(서)	_____

B 다음 빈칸에 알맞은 말을 쓰시오.

1 publish **n** _____   5 addict **a** _____

2 swift **ad** _____   6 registration **v** _____

3 perspire **n** _____   7 reside **a** _____

4 occur **n** _____   8 suspect **n** _____

C 다음 빈칸에 들어갈 알맞은 말을 보기 에서 고르시오.

보기 overnight   fueling   publishing   semester   laboratory

1 Your school fees for this _____ are 4,900 dollars.

2 Let's go hiking on the mountain and stay _____.

3 To be a mathematician you don't need an expensive _____.

4 Little did he know that he was _____ his son with a passion that would last for a lifetime.

5 There is still much room for development, however, and I am afraid they are not yet appropriate for _____ in any of our current poetry journals.

01▶

inhabitant
[inhǽbitənt]

ⓝ 거주민

Some **inhabitants** of the tropics prefer to live at higher elevations.

02▶

performance
[pərfɔ́:rməns]

ⓝ 공연; 실적

They would see in his poems a vibrant cultural **performance**.

03▶

sequence
[síːkwəns]

ⓝ 순서, 차례; 연속적인 사건들

The essential point of the paper is the chronological **sequence**.

04▶

settle
[sétl]

ⓥ 해결하다; 결정하다; 정착하다

At length, we **settled** the deal.

05▶

vegetation
[vèdʒətéiʃən]

ⓝ 식물

There is an abundance of green **vegetation** on the tropical island.

06▶

atmosphere
[ǽtməsfìər]

ⓝ 분위기; 대기

The whole neighborhood had a very laid-back **atmosphere** that is difficult to find anywhere else in the city.

01 열대 지방의 몇몇 주민들은 높은 고도에서 사는 것을 좋아한다. **02** 그들은 그의 시에서 고동치는 문화적 공연을 보게 될 것이다. **03** 논문의 핵심적인 내용이 연대기적 순서로 되어 있다. **04** 마침내 우리는 거래를 성사시켰다. **05** 그 열대 섬에는 녹색 식물이 풍부하다. **06** 동네 전체가 그 도시의 다른 어느 곳에서도 보기 어려운 매우 느긋한 분위기였다.

07 ▶

emerge
[imə́:rdʒ]

emergence **n** 출현, 발생
emerging **a** 최근 생긴

v 드러나다, 부각되다

The truth about his secretive past finally **emerged** when he was questioned.

08 ▶

wealthy
[wélθi]

wealth **n** 부, 재산

a 부유한

The **wealthy** nations of the world should be willing to aid poorer nations that are in desperate need of aid.

09 ▶

aim
[eim]

v 겨누다, 겨냥하다

I **aim** to be the owner of my own company by the time I reach 50.

10 ▶

depth
[depθ]

deep **a** 깊은

n 깊이

Divers usually descend to a maximum **depth** of thirty meters in their first few dives.

11 ▶

brief
[bri:f]

briefly **ad** 잠시, 간단히

a 잠시 동안의; 간단한

The director announced that he would keep our future meetings **brief** so that we could complete our work.

12 ▶

theft
[θeft]

thieve **v** 훔치다

n 절도, 도난

The recent **theft** of the *Mona Lisa* has left the museum extremely worried and confused.

Tips identity theft는 '신분 도용'이라는 뜻이다.

07 그가 질문을 받았을 때 그의 비밀스러운 과거의 진실이 마침내 드러났다. **08** 세계의 부유한 나라들은 도움이 절실히 필요한 더 가난한 나라들을 기꺼이 도와야 한다. **09** 나는 내가 쉰 살이 될 즈음에 내 회사의 주인이 될 것을 목표로 하고 있다. **10** 잠수부들은 대개 처음 몇 번의 잠수에서 최대 30미터 깊이까지 내려간다. **11** 그 관리자는 우리가 일을 끝낼 수 있도록 앞으로 있을 회의를 간단하게 하겠다고 발표했다. **12** '모나리자'의 최근 도난은 그 박물관을 극심한 우려와 혼란에 빠뜨렸다.

07

13▶ shortage
[ʃɔ́ːrtidʒ]
short ⓐ 짧은, 부족한

ⓝ 부족, 결핍

In many countries, there is a shortage of fresh water due to extremely dry weather.

14▶ breakdown
[bréikdàun]

ⓝ 고장; 붕괴, 와해

Corporations are increasingly concerned that employees suffering from work-related stress may experience a nervous breakdown.

Tips nervous breakdown은 '신경쇠약'이라는 뜻이다.

15▶ destroy
[distrɔ́i]
destruction ⓝ 파괴, 파멸
destructive ⓐ 파괴적인

ⓥ 파괴하다, 부수다

Commanders of the Serbian soldiers ordered them to destroy the Bosnian town of Sarajevo in 1995.

16▶ grind
[graind]

ⓥ 갈다, 빻다

In many modern mills, automated machines grind wheat into flour.

17▶ forehead
[fɔ́ːrhèd]

ⓝ 이마

The child slipped on the ice and suffered a bruise on her forehead.

18▶ border
[bɔ́ːrdər]

ⓥ (경계를) 접하다 ⓝ 국경, 경계; 가장자리

Spain is the only country that borders the nation of Portugal.

13 많은 나라에서 극심하게 건조한 날씨 때문에 신선한 물이 부족하다. 14 회사들은 업무 관련 스트레스를 겪는 직원들이 신경쇠약을 경험할 수도 있다는 것을 점점 더 우려하고 있다. 15 세르비아 군대 지휘관들은 1995년에 그들에게 보스니아의 사라예보를 파괴하라고 명령했다. 16 많은 현대적인 방앗간에서는 자동화된 기계가 밀을 빻아 밀가루로 만든다. 17 그 아이는 얼음에 미끄러지면서 이마에 멍이 들었다. 18 스페인은 포르투갈과 국경을 접하는 유일한 국가이다.

19▶
fur
[fəːr]

ⓝ 털, 모피

The fur trade was one of the primary factors which drove frontiersmen to push westward.

20▶
ensure
[enʃúər]

ⓥ 확실하게 하다, 보장하다, 지키다

The governor set up a committee to ensure the agricultural budget was correctly allocated to individual communities.

21▶
emphasize
[émfəsàiz]

emphasis ⓝ 강조

ⓥ 강조하다

An excellent way to emphasize key information in a speech is to repeat it more than once, using varied intonation.

22▶
extraordinary
[ikstrɔ́ːrdənèri]

extraordinarily
ad 유별나게, 이례적으로

ⓐ 비범한, 놀라운

Animals are sometimes thought to have extraordinary abilities to sense impending changes in weather.

23▶
sacrifice
[sǽkrəfàis]

ⓥ 희생하다 ⓝ 희생

Medical professionals often sacrifice their personal lives to further their careers.

24▶
bankrupt
[bǽŋkrʌpt]

bankruptcy ⓝ 파산 (상태)

ⓐ 파산한

Many subprime lenders have gone bankrupt due to their own dishonest business practices.

---

19 모피 무역은 국경지대 주민들을 서쪽으로 나아가게 한 주요 요소 중 하나였다. 20 그 통치자는 농업 예산이 개별 공동체에 적절히 할당되었는지 확실하게 하기 위하여 위원회를 설립했다. 21 연설에서 중요한 정보를 강조하는 한 가지 훌륭한 방법은 다양한 억양을 사용해서 한 번 이상 그것을 반복하는 것이다. 22 동물들은 때때로 급작한 날씨 변화를 감지하는 비범한 능력을 가진 것으로 생각된다. 23 의료 전문가들은 종종 자신의 경력을 확장하기 위해서 개인적인 삶을 희생한다. 24 많은 서브프라임 대출 기관이 자신들의 부정직한 사업 관행으로 인해 파산했다.

25 ▶

electricity
[ilèktrísəti]

ⓝ 전기

The names of visionaries such as Faraday, Tesla, Kelvin, Volta, and Ampere are associated with early experiments in electricity.

26 ▶

solitude
[sálitʃùːd]

solitary ⓐ 홀로 있는, 혼자 하는

ⓝ 고독; 혼자 살기, 독거

The woman expressed a desire for solitude in order to retain a sense of personal privacy.

27 ▶

companion
[kəmpǽnjən]

ⓝ 동반자, 동료, 친구

Two of the most common types of companion animals are cats and dogs.

28 ▶

article
[ɑ́ːrtikl]

ⓝ 기사; 품목

The editor retracted the article due to pressure from the public.

29 ▶

conscience
[kɑ́nʃəns]

ⓝ 양심

Philosophers have long debated the extent to which conscience informs an individual's actions.

30 ▶

ethical
[éθikəl]

ethics ⓝ 윤리(학)

ⓐ 윤리적인, 도덕적인

A well-planned graduate-level course in management should deal with ethical business practices.

---

25 Faraday, Tesla, Kelvin, Volta, Ampere 등과 같은 선견지명이 있는 사람들의 이름들은 초기 전기 실험들과 관련이 있다. **26** 그 여자는 개인 사생활이라는 감각을 유지하기 위해 고독을 갈망한다. **27** 반려 동물의 가장 흔한 두 가지 유형은 고양이와 개이다. **28** 그 편집자는 대중의 압력 때문에 그 기사를 철회했다. **29** 철학자들은 양심이 개인의 행동에 영향을 미치는 정도에 대해 오랫동안 논쟁을 벌여왔다. **30** 잘 계획된 경영학 석사 과정은 윤리적인 사업 관행을 다루어야 한다.

31 ▶

pressure
[préʃər]

press ⓥ 밀다, 누르다

ⓝ 스트레스; 압력

Peer pressure has been identified as one of the main reasons young adults begin drinking.

32 ▶

dictate
[díkteit]

dictation ⓝ 받아쓰기

ⓥ (상대방이 받아쓸 수 있도록) 말하다; ~에 영향을 주다

The habit of novelists to dictate words into a recording device before writing them down is now a dying practice.

33 ▶

sink
[siŋk]

sinkage ⓝ 가라앉음, 함몰

ⓥ 가라앉다

A little-known fact is that it took almost three hours for the Titanic to sink.

34 ▶

excel
[iksél]

excellent ⓐ 훌륭한, 탁월한
excellence ⓝ 훌륭함, 탁월함

ⓥ 뛰어나게 잘하다

Most students believe that they can excel through hard work and perseverance.

35 ▶

doubt
[daut]

doubtful ⓐ 회의적인

ⓝ 의심, 의문 ⓥ 의심하다

She had a lot of doubt about her feelings for Pete after she heard her mother's advice.

31 동료들로부터의 압박은 젊은이들이 음주를 시작하는 이유 중 하나를 규명해주었다. **32** 어떤 말을 글로 쓰기 전에 그것을 녹음기에 구술하는 소설가들의 습관은 이제 사라져 가는 관행이다. **33** 잘 알려지지 않은 사실 하나는 타이타닉호가 가라앉기까지 거의 세 시간이 걸렸다는 것이다. **34** 대부분의 학생들은 열심히 공부하고 인내하면 뛰어나게 잘할 수 있다고 믿는다. **35** 그녀는 어머니의 충고를 듣고 나서 Pete를 향한 자신의 감정에 대한 의심으로 가득 찼다.

혼동 어휘

36▶

moral
[mɔ́(ː)rəl]

morality ⓝ 도덕(성)

ⓐ 도덕적인

Children's stories often try to teach important moral lessons at the end.

37▶

morale
[mourǽl]

ⓝ 사기, 의욕

The general's speech greatly boosted the morale of his troops.

38▶

mortal
[mɔ́ːrtl]

mortality
ⓝ 죽음을 피할 수 없음

ⓐ 치명적인; 영원히 살 수 없는

Richard III suffered a mortal wound in the Battle of Bosworth Field.

다의어

39▶

chest
[tʃest]

ⓝ 가슴, 흉부

The doctor discovered the cause of pain in my chest; apparently, I have a weak heart.

ⓝ 상자, 함

Chests were often used to transport goods by ship during the centuries before planes existed.

40▶

will
[wil]

ⓝ 의지

The greatest inventors in the history of mankind have one thing in common — their amazing will to succeed.

ⓝ 유언(장)

My grandfather's will did not leave much room for doubt; all his money was to be divided between his three children.

---

36 어린이용 이야기는 종종 마지막에 중요한 도덕적 교훈을 가르치려 한다. 37 장군의 연설은 군대의 사기를 크게 증진시켰다. 38 Richard 3세는 보스워스 전쟁에서 치명적인 상처를 입었다. 39 그 의사는 내 가슴 통증의 원인을 밝혀냈다. 분명히 내 심장은 약하다. / 비행기가 있기 전에는 몇 세기 동안 배로 상품을 수송하기 위해 상자가 종종 사용되었다. 40 인류 역사상 가장 위대한 발명가들에게는 한 가지 공통점이 있다. 그것은 성공하고자 하는 놀라운 의지이다. / 우리 할아버지의 유언은 의심의 여지를 많이 남기지 않았다. 그의 모든 돈은 세 명의 자녀에게 배분되었다.

A 다음 영어를 우리말로, 우리말을 영어로 쓰시오.

1 aim _____   11 강조하다 _____
2 article _____   12 고독; 혼자 살기, 독거 _____
3 atmosphere _____   13 도덕적인 _____
4 chest _____   14 부유한 _____
5 companion _____   15 보장하다, 지키다 _____
6 conscience _____   16 고장; 붕괴, 와해 _____
7 destroy _____   17 식물 _____
8 emerge _____   18 사기, 의욕 _____
9 ethical _____   19 전기 _____
10 performance _____   20 털, 모피 _____

B 다음 빈칸에 알맞은 말을 쓰시오.

1 pressure (v) _____   5 depth (a) _____
2 excel (a) _____   6 theft (v) _____
3 extraordinary (ad) _____   7 emphasize (n) _____
4 doubt (a) _____   8 bankrupt (n) _____

C 다음 빈칸에 들어갈 알맞은 말을 보기에서 고르시오.

보기   grinding   sinking   sacrifices   doubt   forehead

1 Joggers often _____ the claims of medical professionals that running is likely to cause joint disorders later in life.

2 Industrial diamonds are crushed and powdered, and then used in many _____ and polishing operations.

3 The hat protects the head and _____ from freezing winds and has a round opening at the top.

4 Cars, trucks, and buses were too heavy for it, and the bridge was _____ into the River Thames.

5 Their glory lies not in their achievements but in their _____.

01 ▶

congestion
[kəndʒéstʃən]

ⓝ 혼잡, 정체

Tourists may cause traffic and pedestrian congestion.

02 ▶

disabled
[diséibld]

ⓐ 장애를 가진

Dr. Paul Odland provided free medical treatment for disabled children of poor families.

03 ▶

impact
[ímpækt / impækt]

ⓝ 영향, 충격; 충돌 ⓥ 영향을 주다

The impacts of tourism on the environment are evident to scientists.

04 ▶

mythical
[míθikəl]

ⓐ 신화 속에 나오는; 가공의

Medusa is a mythical monster whose gaze was said to turn onlookers to stone.

05 ▶

brilliant
[bríljənt]
brilliantly **ad** 눈부시게, 찬란히

ⓐ 우수한, 훌륭한; 눈부신

Individuals who are thought to be intellectually brilliant are often also seen as socially inept.

06 ▶

explore
[ikspló:r]
exploration ⓝ 탐험, 탐구
exploratory ⓐ 탐사[탐구]의

ⓥ 탐험하다, 탐사하다; 탐구하다

NASA plans to launch an updated space shuttle to further explore the planet Mars.

---

01 관광객들이 교통과 보행자 혼잡을 초래할지도 모른다. **02** Paul Odland 박사는 가난한 가정의 장애 어린이들에게 무료로 의료 행위를 베풀었다. **03** 관광산업이 환경에 미치는 영향은 과학자들에게 명확하다. **04** Medusa는 그것을 쳐다본 사람들을 돌로 변하게 한다는 신화 속에 나오는 괴물이다. **05** 지적으로 우수하다고 생각되는 개개인은 종종 사회적 부적응자로도 보인다. **06** 미국 항공 우주국은 화성을 더 탐사하려고 최신 우주선을 발사할 계획이다.

07▶

continent
[kántənənt]

ⓝ 대륙

He has set foot on every continent in the past 30 years.

08▶

pave
[peiv]

pavement ⓝ 보도, 노면

ⓥ (도로를) 포장하다

The City Council decided not to pave the bicycle paths that wind through the forest.

09▶

worship
[wə́:rʃip]

ⓥ 숭배하다 ⓝ 숭배

My sister absolutely worships our mother, and she would do anything for her.

10▶

pioneer
[pàiəníər]

ⓝ 선구자; 개척자 ⓥ 개척하다

Tim Berners-Lee was one of the original pioneers of the World Wide Web.

11▶

faith
[feiθ]

faithful ⓐ 신의 있는, 충실한

ⓝ 믿음, 신뢰; 신앙심

Showing complete faith in the ideas of the vice president, the president chose to order the soldiers to stand down.

12▶

side effect
[said ifékt]

ⓝ 부작용

Those with such faith assume that the new technologies will ultimately succeed without harmful side effects.

🔓 **07** 그는 지난 30년 동안 모든 대륙에 발을 디뎠다. **08** 시의회는 숲을 굽이굽이 통과하는 그 자전거 도로를 포장하지 않기로 결정했다. **09** 내 여동생은 우리 엄마를 절대적으로 숭배한다. 그리고 엄마를 위해서라면 무슨 일이든 할 것이다. **10** Tim Berners-Lee는 월드 와이드 웹(WWW)을 발명한 최초의 선구자 중 한 사람이었다. **11** 대통령은 부통령의 생각에 전적인 신뢰를 보이며 병사들에게 물러나라고 명령하기로 했다. **12** 이런 믿음을 가진 사람들은 새로운 기술이 해로운 부작용 없이 결국은 성공적일 것이라고 가정한다.

Day 08

13 ▶

pitiful
[pítifəl]
pity ⓝ 유감, 연민

ⓐ 측은한, 초라한

The pitiful little boy in ragged clothes walked barefoot across London.

14 ▶

competitive
[kəmpétətiv]
competitiveness ⓝ 경쟁력

ⓐ 경쟁력 있는; 경쟁하는, 경쟁심이 강한

Surveys of employees in Britain show that earning a competitive salary is not a top priority.

15 ▶

stir
[stəːr]

ⓥ 휘젓다, 섞다

Measure three cups of whole wheat flour and stir in one cup of skim milk.

16 ▶

exhausted
[igzɔ́ːstid]
exhaust
ⓥ 기진맥진하게 만들다

ⓐ 몹시 피곤한

I hadn't slept for three days and nights, and I was too exhausted to even talk.

17 ▶

insistent
[insístənt]
insist ⓥ 주장하다, 우기다
insistence ⓝ 고집, 주장

ⓐ 주장하는, 우기는

My co-worker is very insistent about setting me up with her brother.

18 ▶

panic
[pǽnik]

ⓥ 공포에 질리다; 허둥대다 ⓝ 공황상태

In the event of engine failure while flying, it is important for passengers not to panic.

13 누더기를 걸친 그 측은한 어린 소년은 맨발로 런던을 가로질러 걸었다. 14 영국 노동자들에 대한 설문조사는 남에게 뒤지지 않는 연봉을 받는 것이 최우선 사항은 아니라는 것을 보여준다. 15 통밀가루 세 컵을 재어서 탈지 우유 한 컵에 넣고 섞어라. 16 나는 3일 밤낮을 잠을 자지 못했고, 너무 피곤해서 말할 수조차 없었다. 17 내 동료는 나에게 자신의 오빠를 소개시켜 주려고 몹시 고집을 부린다. 18 비행 도중에 엔진이 고장 난 경우에는 승객들이 공포에 질리지 않는 것이 중요하다.

19 ▶

shore
[ʃɔːr]

ⓝ 해안; 기슭

The shores of many island nations are susceptible to erosion from rising sea levels.

20 ▶

intake
[íntèik]

ⓝ 섭취

Weight loss can only be accurately assessed by counting the caloric intake as well as the amount of physical activity one gets.

21 ▶

mysterious
[mistíəriəs]

mystery ⓝ 수수께끼

ⓐ 이해하기 힘든, 불가사의한

Crop circles are a mysterious phenomenon that many scientists do not yet fully understand.

22 ▶

barrel
[bǽrəl]

ⓝ (물, 음식 등을 보관하는) 큰 통

Traditional wooden barrels are still made by artisans in some communities in Europe and North America.

23 ▶

liberal
[líbərəl]

liberally 📄 관대하게, 자유로이

ⓐ 〈정치〉 진보적인; 포용적인; 자유주의의

Liberal politicians often berate conservatives for their viewpoints without realizing they, too, are entitled to an opinion.

24 ▶

blacken
[blǽkən]

ⓥ 검어지다; 검게 만들다; (명성을) 더럽히다

As the storm got nearer, the thunder crashed, and the sky began to blacken.

19 많은 섬나라의 해안은 상승하는 해수면으로부터의 침식에 민감하다. 20 체중 감소는 얻어진 운동량은 물론 칼로리 섭취를 계산해서 정확히 측정될 수 있다. 21 크롭 서클은 많은 과학자들이 아직도 완전하게 이해하지 못하는 불가사의한 현상이다. 22 전통적인 나무통이 유럽과 북미의 몇몇 지역에서 일부 장인들에 의해 아직도 제작되고 있다. 23 진보적인 정치인들은 그들 역시 어떤 의견을 낼 자격이 있다는 것을 깨닫지 못한 채 보수주의자들의 관점들에 대해 그들을 자주 질책한다. 24 폭풍이 다가오자, 천둥이 치고 하늘이 어두워지기 시작했다.

25▶

peel
[pi:l]

ⓝ 껍질 ⓥ 껍질을 벗기다

People in some cultures peel fruit through an outward cutting motion, while others do this by cutting inward.

26▶

nutritious
[nju:tríʃəs]

nutrition ⓝ 영양

ⓐ 영양분이 많은

Because subjects in the experiment did not receive enough nutritious food, they began feeling fatigued.

27▶

pollute
[pəlú:t]

pollution ⓝ 오염 (물질)

ⓥ 오염시키다

Factories in many modern metropolises pollute the surrounding environment, making it unfit for human habitation.

28▶

organic
[ɔ:rgǽnik]

ⓐ 화학 비료를 쓰지 않는, 유기농의

Finally, I think people who eat fruit peel prefer organic food, which encourages farmers to use less pesticide and thus to contribute to a cleaner environment.

29▶

pesticide
[péstəsàid]

ⓝ 농약, 살충제

You might think you're removing all the pesticide on the fruit when you wash it, but some chemicals are bound to remain on the surface of the peel.

30▶

bitter
[bítər]

ⓐ 맛이 쓴; 지독한; 격렬한

My husband doesn't like black coffee because of its bitter taste, but I like it for the same reason.

25 어떤 문화권의 사람들은 밖으로 깎는 동작으로 과일 껍질을 벗긴다. 반면에 다른 문화권 사람들은 안으로 깎는 동작으로 한다. 26 실험 대상자들은 영양분이 많은 음식을 충분히 받아들이지 않았기 때문에 피곤을 느끼기 시작했다. 27 오늘날의 많은 대도시 공장들이 주변 환경을 오염시키고 인간의 거주지로 부적합하게 만들고 있다. 28 마지막으로, 나는 과일 껍질을 먹는 사람들은 유기농 식품을 선호한다고 생각하는데, 유기농 식품은 농부들이 농약을 더 적게 쓰도록 유도해서 더 깨끗한 환경에 기여한다. 29 당신은 과일을 씻을 때 껍질에 묻은 농약을 전부 제거한다고 생각하겠지만, 일부 화학물질이 껍질 표면에 남아 있기 마련이다. 30 남편은 맛이 쓰기 때문에 블랙커피를 좋아하지 않지만, 나는 같은 이유로 그것을 좋아한다.

31▶

surface
[sə́:rfis]

ⓝ 표면; 외관

The surfaces of many natural substances seem flat to the touch but are not so when seen under a microscope.

32▶

detergent
[ditə́:rdʒənt]

ⓝ 세제

Many individuals mistakenly believe that the amount of detergent they use is directly correlated with how clean their clothes turn out.

33▶

digest
[dáidʒest]

digestion ⓝ 소화(력)
digestive ⓐ 소화의

ⓥ 소화하다; 소화를 돕다

It is, in fact, possible for the stomach to digest pieces of food that have been swallowed whole.

34▶

recycle
[ri:sáikl]

recyclable ⓐ 재활용할 수 있는

ⓥ 재활용하다

Our family decided to recycle all of the waste that we generated.

35▶

crucial
[krú:ʃəl]

crucially **ad** 결정적으로

ⓐ 결정적인, 매우 중요한

One crucial piece of information was omitted from the file, which resulted in the whole case unraveling.

36▶

satellite
[sǽtəlàit]

ⓝ (인공) 위성

Only after all the functions were double-checked was mission control ready to launch the satellite into orbit.

---

31 많은 천연 물질의 표면은 만지면 평평해 보이지만, 현미경으로 보면 그렇지 않다. **32** 많은 사람들은 자기가 사용하는 세제의 양이 옷을 얼마나 깨끗하게 해주는지와 직접적으로 관련이 있다고 착각하고 있다. **33** 사실, 위가 한꺼번에 삼킨 음식물 조각을 소화하는 것은 가능하다. **34** 우리 가족은 우리가 만든 모든 쓰레기를 재활용하기로 결정했다. **35** 결정적인 정보 하나가 파일에서 생략되어 있어서 사건 전체가 해결되지 못했다. **36** 모든 기능을 이중으로 점검한 후에야 우주 관제 센터는 인공위성을 궤도로 쏘아 올릴 준비가 되었다.

혼동 어휘

37 ▶

quit
[kwit]

ⓥ 그만두다

My sister **quit** college after one semester even though we all advised her not to.

38 ▶

quiet
[kwáiət]

quietly **ad** 조용히

ⓝ 고요 ⓐ 조용한

I needed a little peace and **quiet**, so I decided to go for a walk in the woods.

39 ▶

quite
[kwait]

ad 충분히, 전적으로; 꽤, 상당히

I was **quite** capable of finishing all the editing by myself, but Sharon offered to help me anyway.

다의어

40 ▶

lean
[li:n]

ⓥ 기대다; 기울이다

The tour guide told us to **lean** back in our seats and enjoy the ride through the Grand Canyon.

ⓐ 날씬한

Fashion designers prefer models that are tall, **lean**, and muscular as they consider them more attractive.

---

37 우리 모두가 그러지 말라고 만류했지만, 내 여동생은 한 학기를 마치고 대학을 그만두었다. **38** 나는 약간의 평온과 고요가 필요해서, 숲으로 산책을 가기로 결정했다. **39** 나는 혼자서 모든 편집 마무리를 충분히 할 수 있었지만, Sharon은 어쨌든 나를 도와주겠다고 했다. **40** 그 여행 가이드는 우리에게 의자 등받이에 몸을 기대고 그랜드 캐니언을 지나는 여정을 즐기라고 말했다. / 패션 디자이너들은 키가 크고, 날씬하고, 근육이 있는 모델들이 더 매력적이라고 생각하기 때문에 그들을 선호한다.

A 다음 영어를 우리말로, 우리말을 영어로 쓰시오.

1	barrel	11	(인공) 위성
2	brilliant	12	꽤, 상당히; 충분히
3	competitive	13	대륙
4	faith	14	맛이 쓴; 지독한; 격렬한
5	mysterious	15	섭취
6	mythical	16	세제
7	pave	17	오염시키다
8	peel	18	측은한, 초라한
9	pioneer	19	표면; 외관
10	worship	20	휘젓다, 섞다

B 다음 빈칸에 알맞은 말을 쓰시오.

1	digest	n	5	exhausted	v
2	nutritious	n	6	insistent	v
3	liberal	ad	7	explore	a
4	quiet	ad	8	digest	a

C 다음 빈칸에 들어갈 알맞은 말을 보기 에서 고르시오.

보기   shore   side effects   bitter   pesticides   organic

1   One of the _____ of excessive vitamin A intake in adults is osteoporosis, a weakening of the bones.

2   The overuse of chemical _____ in some countries has led to concerns about environmental contamination.

3   She told each person to take a wooden board, use it as a float, and begin kicking slowly toward _____.

4   _____ farms are continuing to grow in popularity, despite the relatively high cost of their produce.

5   The director of advertising was forced out of her position by her _____ rival, the head of the PR department.

01

annual
[ǽnjuəl]

ⓐ 매년의, 연례의

I expect that global society will increase annual investments from 25% to 30% of the GDP.

02

autobiography
[ɔ̀ːtəbaiágrəfi]

ⓝ 자서전

With Jan Novák, Forman wrote his autobiography, *Turnaround: A Memoir*.

03

career
[kəríər]

ⓝ 경력, 직업

Over a 30-year career, the photographs he took appeared on more than 100 album covers.

04

artifact
[áːrtəfæ̀kt]

ⓝ 공예품; 유물

Treasure hunters have accumulated valuable historical artifacts that can reveal much about the past.

05

nevertheless
[nèvərðəlés]

ⓐⓓ 그럼에도 불구하고

Will Smith's new movie had a predictable, but nevertheless entertaining, plotline.

06

seemingly
[síːmiŋli]

ⓐⓓ 겉보기에는

A car can be a seemingly decent investment, but in reality there is a negative return on the money invested in one.

---

01 나는 국제 사회가 연간 투자를 GDP의 25%에서 30%로 늘릴 것으로 예상한다. **02** Forman은 Jan Novák과 함께 자신의 자서전인 〈Turnaround: A Memoir〉를 집필했다. **03** 30년이 넘는 경력에 걸쳐 그가 촬영한 사진들이 100개가 넘는 앨범 커버에 실렸다. **04** 보물 사냥꾼이 과거에 대해 많은 것을 드러낼 수 있는 가치 있는 역사적 유물을 축적해 왔다. **05** Will Smith의 새 영화는 예측 가능하지만, 그럼에도 불구하고 줄거리가 재미있다. **06** 자동차는 겉보기에는 괜찮은 투자 같지만, 실제로는 그것에 투자된 돈에 대한 수익은 거의 없다.

07
supplement
[sʌ́plmənt]

supplementary
ⓐ 보충의, 추가의

ⓥ 보충하다 ⓝ 보충(물)

Professional athletes supplement their diets with complex vitamins and minerals.

08
precise
[prisáis]

precision ⓝ 정확(성)

ⓐ 정확한, 엄밀한

Mathematicians must ensure that they input precise numerical values to achieve their desired results.

09
enclose
[enklóuz]

enclosure ⓝ 둘러쌈; 동봉

ⓥ 둘러싸다; 동봉하다

The field that was listed for sale was enclosed by a barbed-wire fence.

10
viewpoint
[vjú:pɔ̀int]

ⓝ 관점, 시각

Active listeners show openness to the speaker's viewpoint on the topic of conversation.

11
classify
[klǽsəfài]

classification ⓝ 분류, 범주

ⓥ 분류하다

A favorite pastime of scientists is to classify and reclassify items into typologies.

12
unpredictable
[ʌ̀npridíktəbl]

unpredictably
ⓐⓓ 예측할 수 없게

ⓐ 예측할 수 없는

Environmental psychologists have long known about the harmful effects of unpredictable, high-volume noise.

07 프로 운동선수들은 복합 비타민과 미네랄로 음식물을 보충한다. 08 수학자들은 자기가 원하는 결과를 얻기 위하여 정확한 숫자 값을 입력해야 한다. 09 매물로 올라온 그 밭은 철조망 담장으로 둘러싸여 있었다. 10 적극적인 청자들은 대화 주제에 대한 그 연설자의 관점에 개방적 태도를 보인다. 11 과학자들이 가장 좋아하는 오락은 물건을 유형별로 분류하고 재분류하는 것이다. 12 환경 심리학자들은 예측할 수 없는 큰 소음의 해로운 영향에 대해서 오랫동안 알고 있었다.

13▶

subtle
[sʌ́tl]

ⓐ 미묘한; 교묘한

She continued to talk about her ex-boyfriend in spite of my subtle hints that I was not interested.

14▶

disgust
[disgʌ́st]

disgusting
ⓐ 역겨운, 혐오스러운

ⓝ 역겨움, 혐오감 ⓥ 역겹게 만들다

The eyewitness reacted in disgust when asked to examine photographs of the murder.

15▶

surrender
[səréndər]

ⓥ 항복하다; 양도하다, 넘겨주다

The commander stubbornly refused to surrender and later regretted this.

16▶

metaphor
[métəfɔ̀ːr]

ⓝ 은유, 비유

Associating a metaphor with a particular country may be one way to better understand that country.

17▶

confess
[kənfés]

confession ⓝ 고백, 자백

ⓥ 고백[자백]하다

I'll confess that I've been worried about how we are going to afford a new house.

18▶

dismay
[disméi]

ⓝ (안 좋은 사건 뒤의) 경악, 당황; 실망

To my dismay, the letter announced that my application, while strong in some areas, had been rejected.

13 그녀는 내가 관심이 없다는 미묘한 힌트를 주었음에도 불구하고 자신의 전 남자친구에 대해서 계속해서 이야기했다. 14 그 목격자는 살인자의 사진을 자세히 봐달라는 부탁을 받자 혐오스러워 하는 반응을 보였다. 15 그 지휘관은 고집스럽게 항복하기를 거부했고 나중에 이를 후회했다. 16 은유를 특정한 나라와 관련시켜 생각하는 것은 그 나라를 더욱 잘 이해하는 한 방법일 수 있다. 17 저는 우리가 어떻게 그 새집을 살 수 있을 것인지를 걱정하고 있었다고 고백할 예정입니다. 18 실망스럽게도 그 편지는 나의 지원서가 몇몇 부분에서는 강력했지만, 거절되었다고 발표했다.

19▶

discharge
[distʃá:rdʒ]

ⓝ 제대; 퇴원 **ⓥ** 해고하다; 제대하다; 퇴원하다

After twenty-five years in the navy, my father was given an honorable discharge and allowed to retire.

20▶

command
[kəmǽnd]

ⓥ 명령하다 **ⓝ** 명령

His superior is likely to command him to deploy the rockets.

21▶

radiate
[réidièit]

radiant **ⓐ** 빛나는
radiation **ⓝ** 방사선, 복사

ⓥ 내뿜다, 방출하다

In a particle-beam accelerator, electrons radiate from a magnetic core.

22▶

ascend
[əsénd]

ascendant **ⓐ** 상승하는

ⓥ 오르다, 상승하다

As an aircraft ascends, passengers often experience a change in cabin pressure.

23▶

somewhat
[sʌ́mʰwɑ̀t]

ad 다소, 약간

My brother was somewhat disappointed by my decision to leave home at age 18.

24▶

illustrate
[íləstrèit]

illustration **ⓝ** 삽화, 실례

ⓥ 설명하다, 분명히 보여주다

Visual aids are often necessary to illustrate the rate of increase in supply and demand.

---

19 해군에서 25년을 복무한 후 아버지는 명예 제대하고 은퇴를 허락받았다. 20 그의 상관은 그에게 로켓을 배치하도록 명령할 것 같다. 21 입자 빔 가속기에서는 자기 코어로부터 전자가 방출된다. 22 항공기가 상승할 때, 승객들은 종종 객실 압력의 변화를 경험한다. 23 내 남동생은 열여덟 살에 집을 떠나기로 한 나의 결정에 다소 실망했다. 24 공급과 수요에서 증가율을 설명하기 위해서는 종종 시각적 도움이 필요하다.

25

gradual
[grǽdʒuəl]

gradually **ad** 서서히

ⓐ 점진적인, 단계적인

In some studies, cancer patients who have taken up to 3,000 mg of vitamin C have shown a gradual improvement in health.

26

instant
[ínstənt]

instantly **ad** 즉각, 즉시

ⓝ 순간, 잠깐 ⓐ 즉각적인

The camera's shutter was only open for an instant, but the shot was perfectly captured.

27

incidence
[ínsədəns]

ⓝ (주로 좋지 않은 일) 발생, 출현

It was last month's incidence of malaria that alerted officials to the danger of a pandemic.

28

prehistoric
[prìːhistɔ́ːrik]

prehistory ⓝ 선사 시대

ⓐ 선사 시대의

Records of prehistoric plants and animals have at times been preserved in fossils.

29

private
[práivit]

privacy ⓝ 사생활
privately **ad** 남몰래

ⓐ 개인의, 사적인

On the contrary, Greek alphabetic writing was a vehicle of poetry and humor, to be read in private homes.

30

democracy
[dimάkrəsi]

democratic ⓐ 민주주의의

ⓝ 민주주의

Democracy is seen by many nations as a logical progression of modernization.

---

25 몇몇 연구에서는 비타민 C 3,000밀리그램을 복용한 암 환자들이 점진적인 건강 개선을 보여 주었다. **26** 그 카메라의 셔터는 잠깐 동안 열렸지만, 그 촬영 장면은 완벽하게 포착되었다. **27** 관리들에게 전염병의 위험을 경고한 것은 지난달의 말라리아의 출현이었다. **28** 선사 시대의 식물과 동물에 대한 기록은 때때로 화석에 보존되어 있다. **29** 대조적으로, 그리스 알파벳으로 쓰인 글은 개인의 집에서 읽히는 시와 유머의 수단이었다. **30** 민주주의는 현대화의 합리적인 진보로서 많은 국가들에 의해 보이고 있다.

31 ▶

priority
[praiɔ́(:)rəti]

prior ⓐ 우선하는

ⓝ 우선(권), 우선순위

This government's priority must be to create jobs and control the rising national debt.

32 ▶

open-minded
[óupənmáindid]

ⓐ 마음이 열린

My mother is one of the most open-minded people I know.

33 ▶

endure
[endʒúər]

endurance ⓝ 인내, 참을성

ⓥ 견디다, 참다

It is hard to endure the extreme discomfort caused by giving up cigarettes.

34 ▶

premise
[prémis]

ⓝ 전제, 가정

This school was founded on the premise that small classes enable students to learn more effectively.

35 ▶

vanish
[vǽniʃ]

ⓥ 없어지다, 사라지다

Large numbers of wild salmon have vanished from their original spawning grounds.

---

31 이 정부의 우선 사항은 일자리를 창출하고 증가하는 국가 부채를 통제하는 것이어야 한다. **32** 어머니는 내가 아는 가장 마음이 열린 사람 중 한 명이다. **33** 담배를 끊음으로써 야기되는 극심한 불안을 참기는 어렵다. **34** 이 학교는 작은 학급에서 학생들이 더 효과적으로 배울 수 있다는 전제를 토대로 세워졌다. **35** 많은 수의 야생 연어가 원래 산란 장소에서 사라졌다.

어근	serv '지키다 (= keep)'

36▶

reserve
[rizə́:rv]
reservation ⓝ 예약

ⓥ 예약하다; 따로 남겨 두다

Because we hadn't reserved seats on the train to Edinburgh, we had to stand the whole way.

37▶

preserve
[prizə́:rv]
preservation ⓝ 보존, 유지

ⓥ 보호하다, 유지하다

It is in all our interests to try to preserve the thousands of species of plants and animals living on our planet.

38▶

conserve
[kənsə́:rv]

ⓥ 아끼다; 보호하다

Australia requires it citizens to conserve the limited water resources and take very brief daily showers.

혼동 어휘	

39▶

grow
[grou]
growth ⓝ 성장, 증가

ⓥ 성장하다; 커지다, 증대하다

Austin has continued to grow rapidly since the end of the recession.

40▶

glow
[glou]

ⓥ 은은하게 빛나다; 상기되다, 빨개지다 ⓝ 은은한 빛; 홍조

My son's favorite toy dinosaur glows in the dark.

The little girl had a rosy glow of good health when I last saw her on her 8th birthday.

🔓 **36** 에든버러로 가는 열차의 좌석을 예매하지 못해서 우리는 내내 서 있어야 했다. **37** 우리의 행성에 사는 수천 종의 동·식물을 보호하려고 노력하는 것은 우리 모두의 관심사이다. **38** 호주는 시민들에게 부족한 수자원을 아끼고 샤워는 매일 아주 간단히 할 것을 요구한다. **39** Austin은 불황이 끝난 이래로 급속하게 계속 성장했다. **40** 우리 아들이 가장 좋아하는 공룡 장난 감은 어둠 속에서 은은하게 빛난다. / 내가 그녀의 여덟 살 생일에 그녀를 마지막으로 보았을 때 그 어린 소녀는 건강해서 장밋빛 홍조를 띠고 있었다.

A 다음 영어를 우리말로, 우리말을 영어로 쓰시오.

1	classify	_____	11 관점, 시각	_____
2	confess	_____	12 다소, 약간	_____
3	discharge	_____	13 매년의, 연례의	_____
4	dismay	_____	14 마음이 열린	_____
5	enclose	_____	15 선사 시대의	_____
6	gradual	_____	16 없어지다, 사라지다	_____
7	metaphor	_____	17 견디다, 참다	_____
8	seemingly	_____	18 전제	_____
9	subtle	_____	19 즉각적인	_____
10	surrender	_____	20 예약하다; 따로 남겨두다	_____

B 다음 빈칸에 알맞은 말을 쓰시오.

1	illustrate	ⓝ _____	5	supplement	ⓐ _____
2	preserve	ⓝ _____	6	radiate	ⓐ _____
3	democracy	ⓐ _____	7	ascend	ⓐ _____
4	precise	ⓝ _____	8	private	ⓝ _____

C 다음 빈칸에 들어갈 알맞은 말을 보기 에서 고르시오.

보기	instant	preserve	unpredictable	priorities	commands

1 I think you need to get your _____ straight.

2 The weather in many areas of the Pacific Ocean is known for being _____.

3 The center hole also allows the kite to respond quickly to the flyer's _____.

4 What its builders had not considered was that the advent of the railroad would assure the canal's _____ downfall.

5 Many people take numerous photos while traveling or on vacation or during significant life celebrations to _____ the experience for the future.

01 ▶

assert

[əsə́:rt]

assertion ⓝ 주장

ⓥ 주장하다

The theory asserted that the pain system is spread throughout the brain.

02 ▶

cautious

[kɔ́:ʃəs]

caution ⓝ 조심

ⓐ 조심스러운, 신중한

Jane was cautious not to lose her children in the market.

03 ▶

intervene

[ìntərví:n]

ⓥ 개입하다, 간섭하다

Some people said the president refused to intervene.

04 ▶

diversify

[divə́:rsəfài]

ⓥ 다양화하다

The goal is to diversify the ecosystem by incorporating a variety of plant types.

05 ▶

deadly

[dédli]

ⓐ 치명적인

The venom of a viper is deadly to both children and adults.

06 ▶

degree

[digrí:]

ⓝ 학위; 〈각도, 온도〉 도; 정도

Earning a college degree can result in higher earnings over one's lifetime.

---

01 그 이론은 통증 시스템이 뇌 전체에 퍼져 있다고 주장했다. 02 Jane은 시장에서 그녀의 아이를 잃어버리지 않으려고 조심했다. 03 몇몇 사람들은 회장님이 간섭하기를 거부했다고 말했다. 04 목표는 다양한 식물종을 포함하여 생태계를 다양화하는 것이다. 05 독사의 독은 아이와 어른 모두에게 치명적이다. 06 학사 학위 취득은 인생에서 보다 높은 소득으로 귀결될 수 있다.

07▶
gust
[gʌst]

ⓝ 돌풍

A gust of wind can carry sand and dust a long way from its point of origin.

08▶
veterinarian
[vètərənέəriən]

ⓝ 수의사(= vet)

Veterinarians are sometimes called on to treat humans in extreme emergency situations.

09▶
scholarship
[skάlərʃìp]

ⓝ 장학금

A college scholarship is usually awarded based on academic results in high school.

10▶
glance
[glæns]

ⓥ 휙 보다, 대충 보다

Could you please glance behind me and tell me if there is someone following me?

11▶
proficient
[prəfíʃənt]
proficiency ⓝ 능숙, 능란

ⓐ 잘하는, 능숙한

Because she is proficient in many languages, she decided on a career as an interpreter.

12▶
efficiency
[ifíʃənsi]
efficient ⓐ 능률적인, 효율적인

ⓝ 능률, 효율

This press can print books with much greater efficiency than the previous model used.

07 돌풍은 생겨난 곳으로부터 멀리 떨어진 곳으로 모래와 먼지를 운반할 수 있다. **08** 몹시 긴급한 상황에서는 때때로 사람을 치료하기 위해 수의사를 불러오기도 한다. **09** 대학 장학금은 대개 고등학교에서의 학업 성적을 바탕으로 수여된다. **10** 제 뒤를 슬쩍 보고 저를 따라오는 사람이 있는지 좀 말해주시겠습니까? **11** 그녀는 많은 언어에 능숙하기 때문에 번역가를 직업으로 결정했다. **12** 이 인쇄기는 종전에 사용된 모델보다 더 효율적으로 책을 인쇄할 수 있다.

13 ▶

valuables
[vǽljuːəbəls]

ⓝ 귀중품

Guests in the hotel are advised not to leave their valuables in their rooms when they are not present.

14 ▶

slam
[slæm]

ⓥ (문, 창문을) 쾅 닫다

The sign reminds customers not to slam the door as they exit the store.

15 ▶

indeed
[indíːd]

ad 정말로, 사실은

Smart self-drive software is indeed at the cutting edge of automobile technology.

16 ▶

drastic
[drǽstik]

drastically ad 과감하게

ⓐ 과감한, 급격한

The new competition from that company calls for a drastic change in how we approach our advertising.

17 ▶

illusion
[ilúːʒən]

ⓝ 환상; 오해, 착각

It is an illusion to believe that youth lasts forever.

18 ▶

acorn
[éikɔːrn]

ⓝ 도토리

Acorns are gathered by squirrels in the fall and stored for their long winter hibernation.

13 그 호텔에 있는 손님들은 방에 없을 때에는 귀중품을 남겨두지 말라는 충고를 받았다. 14 그 신호는 고객들에게 가게를 나갈 때 문을 쾅 닫지 말 것을 상기시켜 준다. 15 스마트 자동 운전 소프트웨어는 정말 최첨단 자동차 기술이다. 16 그 회사로부터의 새로운 경쟁은 광고에 대한 우리의 접근 방법의 과감한 변화를 요구한다. 17 젊음은 영원하다는 것을 믿는 것은 망상이다. 18 도토리는 가을에 다람쥐들에 의해 모아지고 그들의 긴 겨울잠을 위해 저장된다.

19 ▶

humankind
[hjúːmənkàind]

ⓝ 인류, 인간

Humankind has never had to face an enemy from an extra-terrestrial planet.

20 ▶

orchard
[ɔ́ːrtʃərd]

ⓝ 과수원

The work of picking ripe fruit in an orchard is often still done by hand.

21 ▶

man-made
[mǽnméid]

ⓐ 인공적인, 인위적인

Man-made environmental disasters have increased since the turn of the 21st century.

22 ▶

food chain
[fuːd tʃein]

ⓝ 먹이 사슬

Humans are usually assumed to be at the top of the food chain.

23 ▶

ancestor
[ǽnsestər]

ⓝ 조상, 선조

Worshiping and revering one's ancestors is a common part of many Asian cultures.

24 ▶

indicate
[índikèit]

indication ⓝ 암시, 조짐

ⓥ 나타내다, 보여 주다

A speedometer dial indicates the speed at which a vehicle is traveling.

---

19 인류는 외계 행성으로부터의 적을 대면해야 했던 적이 없다. 20 과수원에서 익은 과일 따는 작업은 여전히 손으로 하기도 한다. 21 인간이 만든 환경 재해는 21세기로 접어든 이래로 증가했다. 22 인간은 대개 먹이 사슬의 최상위에 있는 것으로 추정된다. 23 조상을 숭배하고 존경하는 것은 많은 아시아 문화에서 일상적 부분이다. 24 속도계 숫자판은 자동차가 달리는 속도를 나타낸다.

Day 10

25

detect
[ditékt]

detective ⓝ 탐정, 형사
detection ⓝ 발견, 감지

ⓥ 발견하다, 감지하다

The Geiger counter did not detect any radiation in the soil.

26

fake
[feik]

ⓐ 가짜의 ⓥ 위조하다

The market for fake designer goods has grown considerably in the last 20 years.

27

dominate
[dámənèit]

dominant ⓐ 우월한, 지배적인
dominance ⓝ 우월, 지배

ⓥ 지배하다; ~에서 가장 두드러지다

The candidate absolutely dominates the opposition party and is likely to be elected soon.

28

extinct
[ikstíŋkt]

extinction ⓝ 멸종, 소멸

ⓐ 멸종된, 사라진; 사화산의

The passenger pigeon has been extinct since the early 1900s.

29

nourish
[nə́:riʃ]

nourishment
ⓝ 음식물, 자양분
nourishing ⓐ 영양이 되는

ⓥ 영양분을 공급하다

Various nutrients are essential to nourish the human body.

---

25 가이거 계수기는 토양에서 어떠한 방사능도 감지하지 않았다. 26 가짜 명품 시장은 지난 20년간 상당히 성장했다. 27 그 후보는 절대적으로 야당을 지배하고 있으며, 곧 선출될 것 같다. 28 나그네 비둘기는 1900년대 초 이래로 멸종되었다. 29 인간의 몸에 영양분을 공급하기 위해서는 다양한 영양분이 필수적이다.

30▶

insight
[ínsàit]
insightful ⓐ 통찰력 있는

ⓝ 통찰(력), 이해, 간파

You are being sent into the war zone to gain a deeper insight into what exactly is happening.

31▶

federal
[fédərəl]

ⓐ 연방제의, 연방 정부의

Countries such as Brazil, Germany, and India all have federal governments.

32▶

arise
[əráiz]

ⓥ 생기다, 발생하다

Problems are likely to arise in relationships which do not value communication.

33▶

possess
[pəzés]
possession ⓝ 소유(물), 재산
possessive ⓐ 소유욕이 강한

ⓥ 소유하다, 지니다

Applicants who possess a high level of creativity are preferred.

34▶

undergo
[ʌndərgóu]

ⓥ 겪다, 경험하다, 받다

Doctors have been accused of requiring patients to undergo unnecessary medical tests.

35▶

retire
[ritáiər]
retirement ⓝ 은퇴 (생활)

ⓥ 퇴직[은퇴]하다

It is becoming increasingly difficult to retire without substantial savings.

---

30 정확히 무슨 일이 벌어지는지에 대한 보다 깊은 통찰력을 얻으라고 당신을 전장으로 보내는 것이다. **31** 브라질, 독일, 인도 같은 나라들은 모두 연방 정부를 가지고 있다. **32** 의사소통을 중요하게 여기지 않는 인간관계에서는 문제가 생기기 쉽다. **33** 높은 수준의 창의성을 지닌 지원자들이 선호된다. **34** 의사들이 환자들에게 불필요한 의료 검사를 받도록 요구하여 고발되었다. **35** 많은 저축 없이는 퇴직하기가 점점 더 어려워지고 있다.

혼동 어휘

36▶

jealous
[dʒéləs]

ⓐ 질투하는

Rob's wife becomes very jealous whenever he talks to other women.

37▶

zealous
[zéləs]

zeal ⓝ 열의, 열성

ⓐ 열성적인

The lawyer was zealous in her pursuit of justice for the people who had lost their homes.

38▶

adopt
[ədápt]

adoption ⓝ 입양, 채택

ⓥ (새로운 태도, 계획 등을) 취하다; 입양하다

He was born in England, but he has adopted Canada as his new home.

39▶

adapt
[ədǽpt]

adaptation ⓝ 적응, 각색
adaptive ⓐ 적응할 수 있는

ⓥ 적응하다, 조정하다

When children transfer to a different school, it often takes them a while to adapt to their new surroundings.

다의어

40▶

safe
[seif]

safety ⓝ 안전(함)

ⓐ 안전한

Schools must ensure they are a safe environment where children can learn and play.

ⓝ 금고

The police are searching for information on the missing safe.

> 36 Rob의 아내는 그가 다른 여자에게 말할 때마다 몹시 질투한다. 37 그 변호사는 집을 잃은 사람들을 위한 정의 추구에 열성적이었다. 38 그는 영국에서 태어났지만, 캐나다를 새 고향으로 삼았다. 39 아이들이 다른 학교로 전학할 때 새 환경에 적응하는 데 시간이 조금 걸리기도 한다. 40 학교는 아이들이 배우고 놀기에 안전한 환경이라는 것을 보장해야 한다. / 그 경찰은 사라진 금고에 대한 정보를 찾고 있다.

A 다음 영어를 우리말로, 우리말을 영어로 쓰시오.

1	acorn	_____
2	arise	_____
3	possess	_____
4	degree	_____
5	fake	_____
6	glance	_____
7	humankind	_____
8	illusion	_____
9	indeed	_____
10	slam	_____

11	과수원	_____
12	귀중품	_____
13	돌풍	_____
14	먹이 사슬	_____
15	수의사	_____
16	연방제의, 연방 정부의	_____
17	열성적인	_____
18	장학금	_____
19	조상, 선조	_____
20	질투하는	_____

B 다음 빈칸에 알맞은 말을 쓰시오.

1	proficient	ⓝ _____
2	extinct	ⓝ _____
3	adapt	ⓐ _____
4	adopt	ⓝ _____

5	dominate	ⓐ _____
6	nourish	ⓝ _____
7	insight	ⓐ _____
8	zealous	ⓝ _____

C 다음 빈칸에 들어갈 알맞은 말을 보기 에서 고르시오.

보기	dominate　undergo　efficiency　arise　indicate

1 Robots are also not equipped with capabilities like humans to solve problems as they _____ , and they often collect data that are unhelpful or irrelevant.

2 The pro game has become a contest of strength, where powerful hitters with their high-tech rackets _____.

3 The Erie Canal, which took four years to build, was regarded as the height of _____ in its day.

4 Learning to ski is one of the most humbling experiences an adult can _____.

5 You _____ in your cover letter that you intend to follow a literary career.

with

01▶

cope with

대처하다; 극복하다

During the Nazi invasion of western Europe, many people had to cope with constant hunger and fear of death.

02▶

deal with

(상)대하다; 해결하다, 처리하다

Ignorance of other languages and cultures handicaps the United States in dealing with the rest of the world.

03▶

hang out with

~와 어울리다

I am planning to hang out with my best friend this weekend when he returns from abroad.

04▶

get along with

~와 잘 지내다

It is unlikely that Ashley and Shirley will get along with each other.

for

05▶

apply for

~에 지원하다

Not many people will have a chance to apply for the position.

06▶

pay for

대금을 지불하다

Jane wants Mr. Adams to pay for her hospital bill.

07▶

call for

요구하다, 필요로 하다

The current crisis in China calls for strong leadership and timely action.

08▶

account for

설명하다, 해명하다

The Secretary of the Treasury admitted that his office could not account for millions of dollars of the taxpayers' money that was missing.

01 서유럽의 나치 침략 동안 많은 사람들은 끊임없는 배고픔과 죽음의 공포에 대처해야 했다. 02 다른 언어와 문화에 대한 무지는 미국이 다른 나라를 대하는 것을 불리하게 만든다. 03 나의 가장 친한 친구가 외국에서 돌아오면 이번 주에 같이 놀기로 했다. 04 Ashley와 Shirley가 잘 지낼 것 같지 않다. 05 그 일에 지원할 수 있는 사람이 많지 않을 것입니다. 06 Jane은 Admas 씨가 자신의 병원비를 지불하길 원한다. 07 중국의 현재 위기는 강력한 통솔력과 시기적절한 조치를 필요로 한다. 08 재무장관은 재무성이 납세자들의 사라진 돈 수백만 달러에 대해 설명할 수 없다는 것을 인정했다.

Day 11 ~ 15

수능 빈출 어휘 ☑ CHECK   앞으로 학습할 어휘 중 알고 있는 단어가 있는지 먼저 체크해 보세요.

☐ claim   ☐ suppose   ☐ sensitive   ☐ discount
☐ produce   ☐ accompany   ☐ participate   ☐ repair
☐ pursue   ☐ achieve   ☐ circumstance   ☐ arrange
☐ establish   ☐ occupy   ☐ affect   ☐ frequent
☐ diverse   ☐ explain   ☐ edge   ☐ secure

Day **11**

---

01 ▶

random
[rǽndəm]

ⓐ 무작위의

She drew a random card.

---

02 ▶

substance
[sʌ́bstəns]

ⓝ 물질; 실체, 본질

Some substances are low in resistance, so electrical currents pass easily through them.

---

03 ▶

capture
[kǽptʃər]

ⓥ 포착하다; 포획하다; 차지하다

The relationships helped him capture some of his most vivid and iconic imagery.

---

04 ▶

claim
[kleim]

ⓥ 주장하다; (자신의 재산이라고 생각해서) 요구하다

If we do not claim this land, the enemies you most fear will.

---

05 ▶

instrument
[ínstrəmənt]

ⓝ 악기; 도구; 장치

The recorder was a popular wind instrument in the Middle Ages, and it's still a gateway into music today.

---

06 ▶

past
[pæst]

ⓝ 과거 ⓐ 지난

Today people are much more concerned about their health than they were in the past.

---

01 그녀는 아무 카드나 뽑았다. 02 어떤 물질은 저항 값이 작아서 전류가 쉽게 통과한다. 03 그 관계로 인해 그는 자신의 가장 생생하고 상징적인 이미지의 일부를 포착하는 데 도움을 받았다. 04 우리가 이 땅을 우리 것으로 주장하지 않으면 여러분이 가장 두려워하는 적이 그렇게 할 것이다. 05 중세시대에 리코더는 인기 있는 관악기였고, 오늘날에도 여전히 음악에 입문하는 길이 되고 있다. 06 오늘날 사람들은 과거보다 훨씬 더 자신의 건강에 대해 걱정하고 있다.

07▶

place
[pleis]
placement ⓝ 배치

ⓥ 놓다, 두다 ⓝ 장소

When directed to do so, all of the researcher trainees carefully placed their beakers on the instructor's table.

08▶

suppose
[səpóuz]
supposition ⓝ 추정

ⓥ 생각하다, 추정하다

Too many people nowadays wrongfully suppose that age — rather than responsibility — is what defines adulthood.

09▶

terribly
[térəbli]
terrible ⓐ 끔찍한

ⓐⓓ 대단히, 몹시

Modern rules of etiquette state that it's terribly rude to text on a cell phone during a conversation.

10▶

cancel
[kǽnsəl]
cancelation ⓝ 취소

ⓥ 취소하다

The music concert has been canceled due to poor advanced ticket sales.

11▶

guarantee
[gæ̀rəntíː]

ⓝ 보장, 보증 ⓥ 보장하다, (품질을) 보증하다

Winning an Academy Award is no guarantee of future box office success, but it can't hurt.

12▶

possible
[pásəbl]
possibility ⓝ 가능성

ⓐ 가능한, 있음직한

Early retirement is still possible for many workers; it is just not as desirable as it once was.

07 모든 연구 실습생이 지시에 따라 비커를 강사의 탁자 위에 조심스럽게 놓았다. 08 요즘에는 너무 많은 사람들이 책임감보다 나이가 어른임을 정의한다고 잘못 생각한다. 09 에티켓의 현대 규칙은 대화를 하면서 휴대 전화로 문자메시지를 보내는 것을 몹시 무례한 행동이라고 규정한다. 10 저조한 티켓 예매율 때문에 음악회가 취소되었다. 11 아카데미 상을 받는 것이 장차 흥행의 성공을 보장해 주는 것은 아니지만, 해로울 것은 없다. 12 조기 퇴직은 여전히 많은 직장인들에게 일어날 수 있는 일이다. 그것은 단지 한때 그랬던 것만큼 바람직하지 않을 뿐이다.

13 ▶

link
[liŋk]

n 연결, 관계 **v** 연결하다

Some crime research now links children's exposure to lead with violent behavior later in their lives.

14 ▶

blood type
[blʌd taip]

n 혈액형

There is a widespread belief that blood type determines personality, with implications for life, work, and love.

15 ▶

personality
[pə̀:rsənǽləti]

personal **a** 개인적인

n (개인의) 특성, 성격, 개성

My ideal partner has a warm smile, a gentle demeanor, and an appealing personality.

16 ▶

discuss
[diskʌ́s]

discussion **n** 의논, 토론

v 의논하다, 토론하다

Yesterday morning, the ambassador was summoned to the Executive Office of the President to discuss the crisis.

17 ▶

position
[pəzíʃən]

v 두다, ~에 위치하다 **n** 위치

The government allocated its resources throughout the flooded city while the army positioned sandbags along the river's edge.

18 ▶

relationship
[riléiʃənʃip]

n 관계

A child's relationship with his or her parent(s) changes dramatically in adolescence; this is both normal and natural.

---

13 일부 범죄 연구는 현재 아이들이 납에 노출되는 것과 후에 그 아이들의 삶에서 나타나는 폭력적인 행동을 결부시킨다. **14** 혈액형이 삶과 일, 사랑에 영향을 주는 성격을 결정한다는 믿음이 널리 퍼져 있다. **15** 나의 이상적인 배우자는 따뜻한 미소와 친절한 행동, 사람의 마음을 끄는 성격을 가진 사람이다. **16** 어제 아침, 위기 상황에 대해 논의하기 위해 대사가 대통령 집무실로 불려갔다. **17** 군대가 강가에 모래주머니를 놓는 동안, 정부는 홍수가 난 도시 전역에 물자를 할당했다. **18** 아이와 부모의 관계는 청소년기에 급격하게 변한다. 이것은 정상적이고 자연스러운 것이다.

19▶

sensitive
[sénsətiv]

sense ⓝ 감각
sensitivity ⓝ 세심함

ⓐ 민감한, 예민한

Broaching a sensitive subject, the president confirmed that he remains committed to discussing human rights with the visiting leader.

20▶

easy-going
[íːzigóuiŋ]

ⓐ (성격이) 느긋한, 태평한

My brother rarely, if ever, raises his voice; he's often described as a friendly, easy-going type of guy.

21▶

reserved
[rizə́ːrvd]

ⓐ (성격이) 내성적인

The English have a reputation for being reserved, though anyone who has visited London might beg to differ.

22▶

depart
[dipáːrt]

departure ⓝ 출발

ⓥ (여행을) 떠나다, 출발하다

The notice reminds all guests to leave their keys at the reception desk before they depart.

23▶

discount
[dískaunt]

ⓝ 할인 ⓥ 값을 깎아주다

There is a 15% discount on all locally produced fruits and vegetables until the end of the week.

24▶

apply
[əplái]

application ⓝ 지원, 적용
applicant ⓝ 지원자

ⓥ 지원하다; 적용하다

Nearing the end of her internship, the young, aspiring financial accountant applied for a job with a rival insurance company.

---

19 대통령은 민감한 사안을 꺼내면서, 지도자 방문 시 인권에 대해 논의하는 데 전념할 것임을 확언했다. 20 내 남동생은 언성을 높이는 일이 거의 없다. 그는 친절하고 느긋한 사람이라고 평해진다. 21 영국인은 내성적이라는 평판이 있지만, 런던을 방문해 본 사람은 누구나 그 의견에 동의하지 않을 것이다. 22 그 안내판은 모든 손님이 떠나기 전에 안내데스크에 열쇠를 두고 갈 것을 주지시킨다. 23 이번 주말까지 우리 지역에서 생산된 모든 과일과 채소를 15% 할인 판매합니다. 24 그 젊고 열의 있는 회계사는 자신의 인턴 기간이 거의 끝날 무렵 경쟁 보험 회사에 지원했다.

25▶

donate
[dóuneit]

donation ⓝ 기부

ⓥ 기부하다

The government has agreed to donate $50 million in emergency humanitarian aid to regions affected by the earthquake.

26▶

senior citizen

ⓝ 노인, 고령자

Regrettably, senior citizens are rich prey for scammers taking advantage of their financial fears.

27▶

canned
[kænd]

ⓐ 통조림으로 된

Low-income earners need to have access to fresh food, not just the kind of canned food found at food banks.

> **Tips** canned laughter는 시트콤이나 코미디 프로그램에서 자주 들을 수 있는 '녹음된 웃음소리'를 말한다.

28▶

advertisement
[ӕdvərtáizmənt]

ⓝ 광고, 선전

Online advertisements increasingly account for the bulk of revenue generated by online search engines.

29▶

bothersome
[báðərsəm]

bother ⓥ 성가시게 하다

ⓐ 짜증나는, 성가신

I wasn't able to sleep well last night because of a bothersome noise from the apartment above me.

🔓 **25** 정부는 지진 피해를 입은 지역에 인도주의적 긴급 지원금으로 5천만 달러를 기부하는 데 동의했다. **26** 유감스럽게도, 노인들은 그들의 재정적 불안감을 이용하는 사기꾼의 돈 많은 사냥감이 된다. **27** 저소득자들은 푸드뱅크에서 얻을 수 있는 통조림 음식뿐만이 아니라, 신선한 음식을 접할 수 있어야 한다. **28** 온라인 광고는 온라인 검색 엔진이 창출하는 수입의 대부분을 점점 더 많이 차지하고 있다. **29** 나는 아파트 위층에서 들려오는 성가신 소음 때문에 어젯밤에 잠을 잘 잘 수 없었다.

30▶

install
[instɔ́:l]
installation ⓝ 설치

ⓥ 설치하다; 취임시키다

No one will be able to access the library until after the upgraded alarm system has been install**ed**.

31▶

virtually
[vɔ́:rtʃuəli]
virtual ⓐ 사실상의

ⓐⓓ 거의

There is virtually no evidence that diet alone facilitates weight loss; it must be matched with exercise.

32▶

round
[raund]

ⓝ (연속된 일의) 한 차례, 한 회

Despite the slow economy, the company plans to pay another round of employee bonuses.

33▶

opponent
[əpóunənt]
oppose ⓥ 반대하다, 겨루다

ⓝ (스포츠 경기의) 상대자, (의견 등의) 반대자

The champion once again complained about the lack of worthy opponents following his latest victory.

혼동 어휘

34▶

arrogant
[ǽrəgənt]
arrogance ⓝ 오만

ⓐ 오만한

The arrogant young lawyer elbowed his way to the head of the line, declaring that he was too busy to wait like everybody else.

35▶

elegant
[éləgənt]
elegance ⓝ 우아

ⓐ 우아한

The elegant furnishings in Buckingham Palace are an attraction not to be missed.

30 업그레이드된 경보 시스템이 설치될 때까지 아무도 도서관에 출입할 수 없을 것이다. **31** 식이 조절만으로 쉽게 체중 감량을 할 수 있다는 증거는 사실상 거의 없다. 운동이 함께 동반되어야 한다. **32** 불황에도 불구하고, 그 회사는 또 한 차례의 직원 보너스를 지급할 계획이다. **33** 그 챔피언은 최근 승리 후에 싸울 가치가 있는 상대가 없다는 것에 대해 또 다시 불평했다. **34** 그 오만한 젊은 변호사는 자신이 너무 바빠서 다른 사람처럼 기다릴 수 없다고 말하면서 팔꿈치로 사람들을 밀치며 줄 맨 앞으로 나갔다. **35** 버킹엄 궁전의 우아한 가구는 놓쳐서는 안 될 명소(名所)이다.

접두어	multi- '다수의', '복수의'

36 ▶

multicultural
[mʌltikʌltʃərəl]

multiculturalism
ⓝ 다문화주의

ⓐ 다문화의

Toronto is described as being a multicultural city because it is home to a diverse population of ethnic groups.

37 ▶

multimedia
[mʌltimíːdiə]

ⓝ 다중매체, 멀티미디어

You can share your pictures and videos with friends on any number of multimedia Web sites.

38 ▶

multitask
[mʌltitǽsk]

multitasking
ⓝ 다중 작업 처리

ⓥ 동시에 여러 일을 하다

The research confirms that women can multitask better than men both at home and at the office.

39 ▶

multiracial
[mʌltiréiʃəl]

ⓐ 다문화의, 다인종의

It is historically noteworthy that South Africa's first multiracial elections took place in 1994.

의외의 뜻을 가진 어휘	

40 ▶

bank
[bæŋk]

ⓝ 둑, 제방

Egyptian civilization was built on the banks of the Nile River, which flooded each year, depositing soil on its banks.

Tips▶ bank를 '은행'이라는 뜻으로만 알고 있었다면 '둑, 제방'이라는 뜻도 함께 알아두자!

36 토론토는 다양한 소수 민족의 고향이기 때문에 다문화 도시로 묘사된다. 37 당신은 많은 멀티미디어 웹사이트에서 당신의 사진과 동영상을 친구들과 함께 공유할 수 있다. 38 그 연구는 여성이 남성보다 집과 사무실에서 동시에 여러 일을 더 잘 할 수 있다는 것을 뒷받침한다. 39 1994년에 남아프리카에서 다민족이 참여한 선거가 처음으로 실시된 것은 역사적으로 주목할 만하다. 40 이집트 문명은 나일 강 둑에 세워졌는데, 나일 강은 매년 범람해서 둑에 토양을 축적시켰다.

A 다음 영어를 우리말로, 우리말을 영어로 쓰시오.

1	advertisement	_____	11 가능한	_____
2	apply	_____	12 거의	_____
3	blood type	_____	13 과거; 지난	_____
4	guarantee	_____	14 관계	_____
5	depart	_____	15 내성적인	_____
6	discount	_____	16 민감한, 예민한	_____
7	donate	_____	17 설치하다; 취임시키다	_____
8	instrument	_____	18 주장하다; 요구하다	_____
9	link	_____	19 장소; 놓다, 두다	_____
10	multicultural	_____	20 거만한, 오만한	_____

B 다음 빈칸에 알맞은 말을 쓰시오.

1	personality	ⓐ _____	5	opponent	ⓥ _____
2	discuss	ⓝ _____	6	suppose	ⓝ _____
3	bothersome	ⓥ _____	7	terribly	ⓐ _____
4	virtually	ⓐ _____	8	cancel	ⓝ _____

C 다음 빈칸에 들어갈 알맞은 말을 보기 에서 고르시오.

보기   multiracial   bank   donate   past   substances

1 Grass and trees growing along the _____ of a river help to prevent the loss of soil called erosion.

2 The exposition to hazardous _____ can put the workers' health at risk.

3 It is a _____, multi-issue, international membership organization.

4 You can _____ any canned foods such as corn, peas, or soup.

5 Examine your thoughts, and you will find them wholly occupied with the _____ or the future.

01 ▶

notice
[nóutis]

ⓝ 안내문, 공고문

I have read from your notice that the Seaport Museum is now offering a special program.

02 ▶

permanent
[pə́:rmənənt]

ⓐ 영구적인

Jobs may not be permanent, and you may lose your job for countless reasons.

03 ▶

produce
[prádʒuːs]
product ⓝ 상품, 제품

ⓝ 농산물, 생산품 ⓥ 생산하다

The graph shows the sales of four types of ethical produce in the UK in 2015.

04 ▶

recommend
[rèkəménd]
recommendation
ⓝ 권고; 추천

ⓥ 추천하다

Lawmakers, concerned about the effect of television violence on children, will recommend that Congress draft new legislation.

05 ▶

lightweight
[láitwèit]

ⓐ 가벼운, 경량의

The travel brochure recommends that visitors bring a lightweight jacket for cool summer evenings.

06 ▶

identification
[aidèntəfikéiʃən]
identify ⓥ 인지[식별]하다

ⓝ 신원 확인; 발견; 신분(증)

The identification of a second sample of DNA led police to speculate that the crime was committed by two people.

01 저는 귀하의 게시물로부터 Seaport 박물관이 특별 프로그램을 제공하고 있다는 내용을 읽었습니다. 02 일은 영구적이지 못할 수 있으며 여러분은 무수하게 많은 이유로 인해 일자리를 잃을지도 모른다. 03 그래프는 2015년 영국에서 네 가지 유형의 윤리적 농산물의 판매를 보여 준다. 04 텔레비전 프로그램의 폭력성이 아이들에게 미치는 영향을 우려하는 입법가들은 의회가 새로운 법률 초안을 작성해야 한다고 제안할 것이다. 05 여행안내 소책자에서 여름 저녁의 서늘한 날씨에 대비해 가벼운 재킷을 가져올 것을 권하고 있다. 06 두 번째 DNA 샘플의 신원 확인이 경찰로 하여금 그 범죄가 두 명에 의해서 저질러졌음을 추측하게 했다.

07▶

execute
[éksikjù:t]

execution ⓝ 처형; 실행

ⓥ 처형하다; (계획을) 실행하다

The notorious serial killer Frank Moss was *executed* by lethal injection last night at Simmons Correctional Facility.

08▶

warning
[wɔ́:rniŋ]

warn ⓥ 경고하다, 주의를 주다

ⓝ 경고, 주의

The judge said that the stiff fine would serve as a *warning* to other motorists who drove and texted simultaneously.

09▶

appreciate
[əprí:ʃièit]

appreciation
ⓝ 감상; 감탄; 감사

ⓥ 감사하다; 감상하다

Patients in this ward of the hospital often say how much they *appreciate* the care of the nursing staff.

10▶

photography
[fətágrəfi]

ⓝ 사진 촬영 (기술)

A new cell phone *photography* class at the local community college promises to help you take better self-portraits.

11▶

allow
[əláu]

allowance ⓝ 용돈, 허용량

ⓥ 허용하다, 허락하다

A growing number of hotels around the world now *allow* guests to lodge their pets with them.

---

07 악명 높은 연쇄 살인마 Frank Moss가 어젯밤에 시먼스 교도소에서 독극물 주사로 처형되었다. **08** 판사는 높은 벌금이 운전하면서 문자를 보내는 다른 운전자들에게 경고로서 작용하게 될 것이라고 말했다. **09** 이 병동의 환자들은 간호사들의 보살핌에 대해 매우 많이 감사하고 있다고 자주 말한다. **10** 지역 전문 대학에 새로 개설된 수업인 휴대 전화 사진 촬영 기술 수업은 자신의 사진을 더 잘 찍을 수 있도록 도와준다고 한다. **11** 이제는 전 세계적으로 점점 더 많은 호텔이 투숙객과 애완동물이 함께 숙박하는 것을 허용한다.

12 ▸

admission
[ədmíʃən]

admit
ⓥ 인정하다; 입장을 허락하다

ⓝ 입장(료); 입학

According to school policy, a notice of admission will be sent out only to those who have secured placement.

13 ▸

do-it-yourself (DIY)

ⓝ 스스로 조립[수리]하는 것

Common starter-level do-it-yourself (or DIY) projects include making simple clothing, jewelry, and fashion accessories.

14 ▸

footstep
[fútstèp]

ⓝ 발소리, 발자국, 발걸음

A new discovery uses ultrasonic waves to detect and decode an individual's footsteps from a distance.

15 ▸

awareness
[əwɛ́ərnis]

aware ⓐ 알고 있는, 인지하는

ⓝ 인지, 인식, 알고 있음

There are many fun and enjoyable games to test a child's spatial awareness.

16 ▸

distance
[dístəns]

distant ⓐ 먼

ⓝ 거리(감); 상당한 거리; 먼 곳

If you're going to walk the sort of distances necessary to lose weight, you'll need proper training shoes.

17 ▸

symbolize
[símbəlàiz]

symbol ⓝ 상징

ⓥ 상징하다

A statue meant to symbolize the dictator's generosity was destroyed during the revolution.

---

12 학교 정책에 따라, 반 편성이 확정된 사람들에게만 입학 안내문이 발송될 것입니다. **13** 일반적인 초보자 수준의 DIY(가정용품의 제작, 수리, 장식을 직접 하는 것) 프로젝트는 간단한 옷과 보석, 패션 액세서리를 만드는 것을 포함한다. **14** 새로운 발견은 초음파를 사용해서 멀리 있는 사람의 발소리를 감지하고 분석할 수 있다. **15** 어린아이의 공간 지각 능력을 검사하는 재미있고 즐길 수 있는 게임이 많이 있다. **16** 체중 감량을 위해 어느 정도의 거리를 걸을 예정이라면 적당한 운동화가 필요하다. **17** 독재자의 아량을 상징하기 위해 의도된 동상은 혁명 중에 파괴되었다.

18 ▶

accompany
[əkʌ́mpəni]

ⓥ 동행하다; 동반되다

You may be given a lot of information, so have a family member or close friend accompany you if possible.

19 ▶

participate
[pɑːrtísəpèit]

participation ⓝ 참가
participant ⓝ 참가자

ⓥ 참여하다

The school encourages its staff members to participate fully in the running of all after-school club activities.

20 ▶

application
[æ̀plikéiʃən]

apply ⓥ 지원하다, 적용하다

ⓝ 지원(서); 적용; 〈컴퓨터〉 응용 프로그램

Writing a successful job application is only the first step; you must also present yourself professionally.

21 ▶

divorce
[divɔ́ːrs]

ⓥ 이혼하다 ⓝ 이혼

The couple decided to divorce after five years of marriage rather than seek out couples counseling.

22 ▶

lift
[lift]

ⓥ (위로) 들어 올리다 ⓝ 승강기

When the hiker lifted the log, several large insects scurried about looking for cover.

23 ▶

repair
[ripέər]

ⓥ 수리하다 ⓝ 수리, 보수

The entire front section of the lodge had to be repaired after the lightning storm knocked down a tree.

18 많은 정보가 주어질 수 있으니, 가능하다면 가족이나 친한 친구와 동행하십시오. 19 학교는 교직원들에게 방과 후 클럽 활동을 운영하는 데 전적으로 참여할 것을 권장한다. 20 합격할 수 있는 입사 지원서를 쓰는 것은 단지 첫 단계일 뿐이다. 또한, 자신을 전문가답게 소개해야 한다. 21 그 부부는 5년간의 결혼 생활 끝에 부부 상담을 받기보다는 이혼하기로 결심했다. 22 도보 여행을 하던 사람이 그 통나무를 들어 올리자 큰 벌레 몇 마리가 숨을 곳을 찾아 재빠르게 기어갔다. 23 나무가 번개에 맞아 쓰러져서 오두막 앞쪽 전체를 수리해야 했다.

24 ▶

withdraw
[wiðdrɔ́:]

withdrawal ⓝ 철회, 취소; 인출

ⓥ (돈을) 인출하다; 치우다; 철수하다

This credit card allows you to **withdraw** up to $500 interest-free a month from an approved ATM.

---

25 ▶

organize
[ɔ́:rɡənàiz]

organization ⓝ 조직, 단체

ⓥ 조직하다, 체계화하다

My neighbor is an active member of the Book Club and is always **organizing** talks for her local group.

---

26 ▶

expect
[ikspékt]

expectation ⓝ 기대, 예상

ⓥ 기대하다, 예상하다

The R&D department **expects** to receive the additional funding by the end of next month.

---

27 ▶

replace
[ripléis]

replacement ⓝ 교체, 대체

ⓥ 대신하다, 대체하다

The party is unsure who will **replace** the current leader after he resigns.

---

28 ▶

rehearsal
[rihɔ́:rsəl]

rehearse ⓥ 예행연습하다

ⓝ 리허설, 예행연습

Many directors start **rehearsals** of the play they're about to stage with part-time actors.

---

29 ▶

bulletin board

ⓝ 게시판

Weekly tasks and assignments for all part-time staff will be posted on the **bulletin board** in the break room.

---

24 이 신용 카드를 사용하여 승인된 현금자동 입출금기를 통해 무이자로 한 달에 500달러까지 인출할 수 있습니다. **25** 나의 이웃은 활동적인 독서클럽 회원이고, 자신의 지역 모임을 위해 항상 회의를 준비한다. **26** 연구 개발 부서는 다음 달 말까지 추가 자금을 받을 것으로 기대한다. **27** 그 정당은 현 리더가 사임한 후에 누가 그를 대신할지 확신하지 못한다. **28** 많은 감독들이 아르바이트 배우들과 함께 공연할 연극의 리허설을 시작한다. **29** 아르바이트 직원의 주간 업무가 휴게실 게시판에 게시될 것입니다.

30 ▶

grand
[grænd]

grandeur ⓝ 위엄, 장엄함

ⓐ (경치나 건축물이) 웅장한, 장엄한; 주요한, 주된

The plans for the new central library were as grand as we had expected them to be.

31 ▶

relieve
[rilíːv]

relief ⓝ 안도; 완화

ⓥ (불쾌함 등을) 덜어주다, 없애다

Anti-depressants may help improve sleep and relieve pain, but there are side effects that you should be aware of.

32 ▶

temporary
[témpərèri]

temporarily ad 임시로

ⓐ 일시적인

This year alone the government has accepted the highest number of temporary foreign workers on record.

33 ▶

remedy
[rémədi]

ⓝ 해결책, 치료법

Rest, ice, compression, and elevation (RICE) is still the standard remedy for a sprain.

34 ▶

professional
[prəféʃənəl]

profession ⓝ 직업, 전문직

ⓐ 전문적인, 전문직에 종사하는

The advertisement claimed that the school could dramatically improve one's professional skills in English.

35 ▶

necessary
[nésəsèri]

necessity ⓝ 필요(성); 필수품
necessarily ad 필연적으로

ⓐ 필요한

If you're going to be a successful personal trainer, energy is a necessary commodity.

---

30 새로운 중앙도서관에 대한 계획은 우리가 기대했던 것처럼 웅장했다. **31** 항우울증 치료제는 잠을 자도록 도와주고, 통증을 덜어줄 수 있지만, 당신이 알아야 하는 부작용도 있다. **32** 올해만 해도 정부는 공식적으로 가장 많은 수의 임시직 외국인 노동자를 받아들였다. **33** 삐었을 때는 휴식, 얼음찜질, 압박, 부상 부위 들어 올리기가 여전히 기본적인 치료법이다. **34** 광고는 그 학교가 학생의 전문적인 영어 실력을 급격하게 향상시켜 줄 수 있다고 주장했다. **35** 성공적인 개인 트레이너가 되고 싶다면, 힘이 필수적인 요소이다.

36 ▶
entire
[intáiər]

entirely **ad** 완전히

ⓐ 전체의

The river stretches the entire length of the country, making it one of the longest in the world.

37 ▶
destination
[dèstənéiʃən]

ⓝ 목적지, 도착지

Italy was once again voted the most popular European honeymoon destination.

혼동 어휘

38 ▶
acquire
[əkwáiər]

acquisition ⓝ 습득

ⓥ 얻다, 습득하다

Over the past few months my infant daughter has acquired a habit of screaming when she wants to be fed.

39 ▶
require
[rikwáiər]

request ⓥ 요청하다 ⓝ 요청
requirement ⓝ 요건

ⓥ 필요로 하다, 요구하다

Many toys require AA batteries that are not included in the original package.

의외의 뜻을 가진 어휘

40 ▶
bed
[bed]

ⓝ (강, 바다의) 바닥

Old Hawk pointed at the chokecherry trees in a dry river bed not far away.

The stream beds of many Norwegian fjords are covered in small round rocks.

Tips bed를 '침대'라는 뜻으로만 알고 있었다면 '바닥'이라는 뜻도 함께 알아두자!

36 그 강은 세계에서 가장 긴 강 중의 하나로 전국에 걸쳐 뻗어 있다. 37 이탈리아가 또다시 가장 인기 있는 유럽의 신혼 여행지로 뽑혔다. 38 지난 몇 달 동안 나의 어린 딸은 먹고 싶을 때 소리를 지르는 습관이 들었다. 39 많은 장난감은 원래 포장된 상품에는 포함되지 않은 AA 건전지를 필요로 한다. 40 늙은 매는 멀지 않은 곳에 건조한 강바닥에 있는 산벚나무들을 가리켰다. / 노르웨이의 많은 피오르드(빙하 작용으로 생긴 깊은 골짜기)의 강바닥은 작고 둥근 바위들로 덮여 있다.

A 다음 영어를 우리말로, 우리말을 영어로 쓰시오.

1	accompany	11	들어 올리다; 승강기
2	appreciate	12	가벼운, 경량의
3	awareness	13	발자국; 발소리; 발걸음
4	bulletin board	14	사진 촬영 (기술)
5	permanent	15	상징하다
6	destination	16	덜어주다, 없애다
7	distance	17	조직하다, 체계화하다
8	divorce	18	참여하다
9	do-it-yourself	19	추천하다
10	expect	20	해결책; 치료법

B 다음 빈칸에 알맞은 말을 쓰시오.

1	withdraw	n	5	acquire	n
2	replace	n	6	execute	n
3	temporary	ad	7	warning	v
4	necessary	n	8	admission	v

C 다음 빈칸에 들어갈 알맞은 말을 보기 에서 고르시오.

보기 lightweight distance symbolizes photography professional

1 We need to go somewhere _____ is allowed.

2 No wonder she's the national _____ champion.

3 The number "seven" _____ "luck and hope" for all the participants.

4 Hurting your back is a serious matter. I think you'd be better off getting a _____ opinion.

5 You may think that moving a short _____ is so easy that you can do it in no time with little effort.

01▶

spiritual
[spírit∫uəl]

ⓐ 영적인, 정신적인

It describes a physical journey, reflecting the central character's mental and spiritual journey.

02▶

trace
[treis]

ⓝ 자취, 흔적; 극미량, 조금 ⓥ 추적하다

It is now recognized that traces of mercury can appear in lakes far removed from any such industrial discharge.

03▶

venture
[vént∫ər]

ⓥ (위험을 무릅쓰고) 가다, 감행하다 ⓝ 모험; 벤처(사업)

You have to venture beyond the boundaries of your current experience.

04▶

certain
[sə́:rtən]

certainty ⓝ 확실성
certainly ⓐⓓ 확실히

ⓐ 특정한, 확실한

I am not certain that I should invest such a large percentage of my savings in the stock market.

05▶

afterwards
[ǽftərwərdz]

ⓐⓓ 나중에, 그 뒤에

The photos were beautiful, but he lamented afterwards he felt that he had missed out on the most important first moment of his son's life.

01 그것은 물리적 여정을 묘사하는데 주인공의 정신적 그리고 영적인 여정을 나타낸다. 02 이제는 그런 어떤 산업적인 방출로부터 멀리 떨어진 호수에서도 소량의 수은이 나타날 수 있다는 것이 인식되고 있다. 03 당신은 위험을 무릅쓰고 현재 경험의 한계를 넘어서야 한다. 04 나는 내 저축 예금의 그렇게 많은 부분을 주식시장에 투자해야 하는지 확신할 수 없다. 05 사진은 아름다웠지만, 그는 나중에 자기 아들의 삶에서 가장 중요한 첫 번째 순간을 놓쳤다는 생각이 들었었다고 탄식했다.

06 ▶

trail
[treil]

ⓝ 오솔길; 흔적, 자취; 코스

After a few days hiking or mountain biking along one of New Zealand's many forest **trails**, you will feel invigorated.

07 ▶

pathetic
[pəθétik]

ⓐ 가엾은; 한심한

The raccoon that visited last night and tipped over the garbage cans was small and rather **pathetic** looking.

08 ▶

sympathetic
[sìmpəθétik]

sympathy ⓝ 동정, 연민

ⓐ 동정하는, 동조하는, 호감이 가는

My horoscope today revealed that I will feel **sympathetic** to the suffering of others around me this week.

09 ▶

publication
[pʌ̀bləkéiʃən]

publish ⓥ 출간[발행]하다

ⓝ 출간(물), 간행물

My wife and I have enjoyed receiving your **publication** for years.

10 ▶

reliable
[riláiəbl]

ⓐ 믿을 수 있는, 의지가 되는; 확실한

It was reported by a **reliable** source this morning that a general workers' strike is planned for next month.

11 ▶

intent
[intént]

intently ⓐⓓ 골똘하게

ⓐ ~에 몰두하는, 큰 관심을 보이는; 결심하고 있는

Intent on one of the pictures, she took a step back and hit the small table tipping it over.

---

06 뉴질랜드의 많은 산길을 따라 며칠 동안 도보여행을 하거나 산악자전거를 타고 나면 상쾌한 기분을 느끼게 될 것이다. 07 지난밤에 찾아 와서 쓰레기통을 뒤집어엎은 그 너구리는 작고 다소 가엾어 보였다. 08 오늘의 운세에 따르면 이번 주에 나는 내 주변 다른 사람의 고통에 연민을 느끼게 될 것이라고 한다. 09 제 아내와 저는 수년간 귀사의 간행물을 즐겁게 받고 있습니다. 10 일반 노동자들의 파업이 다음 달로 계획되어 있다고 오늘 아침에 믿을 만한 소식통으로부터 보고되었다. 11 한 사진에 열중하면서 그녀는 한 걸음 뒤로 물러나다가 작은 탁자에 부딪혀서 그것을 쓰러트렸다.

12▶

guilty
[gílti]

guilt ⓝ 죄책감, 유죄

ⓐ 죄책감이 드는; 유죄인

The president felt guilty and remorseful after deciding not to commute the sentence of one of his key supporters.

13▶

innocent
[ínəsnt]

innocence ⓝ 결백, 무죄

ⓐ 순수한; 무죄인

It has been widely reported that the coup attempt resulted in the deaths of innocent civilians.

14▶

mention
[ménʃən]

ⓥ 언급하다 ⓝ 언급, 거론

The new rules also do not mention anything about which study aids will be allowed in the exam room.

15▶

derive
[diráiv]

ⓥ 얻다, ~에서 비롯되다

A diet for runners or cyclists should derive most of its calories — 55 to 60 percent — from carbohydrates.

16▶

define
[difáin]

definite ⓐ 확실한, 분명한
definition ⓝ 정의

ⓥ 분명히 밝히다, 규정하다

A new poll finds that more than 60% of Quebec residents define themselves as Quebecers first and Canadians second.

17▶

pursue
[pərsúː]

pursuit ⓝ 추구

ⓥ 추구하다; 쫓다

Member countries of NATO say they will continue to pursue a diplomatic solution to North Korea's nuclear ambitions.

12 대통령은 자신의 주요 지지자 중 한 명의 형량을 감해주지 않기로 결정하고서 죄책감과 양심의 가책을 느꼈다. 13 쿠데타 시도가 무고한 민간인들의 죽음을 야기했다고 대대적으로 보도되었다. 14 또한 새 규정은 시험장에서 어떤 학습 보조 도구의 사용이 허락되는지에 대해서는 아무 것도 언급하지 않고 있다. 15 달리기를 하거나 자전거를 타는 사람의 식단은 칼로리의 대부분, 즉 55~60퍼센트를 탄수화물로 섭취해야 한다. 16 새로운 여론 조사에 따르면 퀘벡 거주자의 60% 이상이 자신들을 첫 번째로는 퀘벡 시민으로, 그리고 두 번째로 캐나다인으로 규정한다. 17 북대서양 조약 기구(NATO)의 회원국들은 북한의 핵개발에 대해 외교적 해결 방안을 계속해서 모색할 것이라고 말한다.

18▶

provoke
[prəvóuk]

provocative
ⓐ 도발하는, 자극하는

ⓥ 유발[도발]하다; 화나게 하다

The dictionary defines courage as a 'quality which enables one to pursue a right course of action, through which one may provoke disapproval, hostility, or contempt.'

19▶

hostile
[hástil]

hostility ⓝ 적대감

ⓐ 적대적인

The four alleged terrorists have now been formally convicted of hostile acts against the country.

20▶

indifferent
[indífərənt]

indifference ⓝ 무관심

ⓐ 무관심한

Because the defense attorney was so indifferent to his case, the prosecutor easily won the trial.

21▶

opposition
[àpəzíʃən]

ⓝ 반대, 상대; 경쟁자

At least three members of the committee voiced strong opposition to the city being awarded the next games.

22▶

dare
[dɛər]

ⓥ 감히 ~하다

The new employee did not dare give her opinion at the meeting for fear of being wrong.

23▶

achieve
[ətʃíːv]

achievement ⓝ 성취, 달성

ⓥ 성취하다, 달성하다

It's important to have a plan in place so you can achieve at least one of your financial goals.

---

18 사전은 용기를 '사람이 반감, 적대감, 경멸을 유발할 수도 있는 올바른 행동 과정을 추구하게 만드는 특성'이라고 정의한다. **19** 테러리스트로 추정되는 그들 네 명은 현재 그 국가에 대항하여 적대적인 행동을 해서 공식적으로 유죄 판결을 받았다. **20** 피고 측 변호인이 자신의 사건에 너무 무관심해서 그 검사는 재판에서 쉽게 이겼다. **21** 위원회 구성원 중 적어도 세 명은 그 도시가 다음 대회의 개최지로 선정되는 것에 대해 강한 반대 의사를 표명했다. **22** 새로 온 직원은 틀릴까 봐 두려워서 회의 중에 자신의 의견을 말할 엄두를 내지 못했다. **23** 즉시 계획을 세우는 것이 중요하다. 그래야 재정적 목표를 적어도 한 개는 달성할 수 있다.

24 ▶

seldom
[séldəm]

ad 거의 ~ 않는

In waters that are cold, humans seldom live more than twelve hours, and certainly no more than twenty-four.

---

25 ▶

distinguish
[distíŋgwiʃ]

distinguishable
a 구별할 수 있는

v 구별하다, 식별하다

A contributing cause was that air traffic controllers at the airport could not distinguish between the two airplanes when the malfunction occurred.

---

26 ▶

welfare
[wélfɛ̀ər]

n 복지, 행복

The website contains comprehensive information about animal welfare and legal issues related to pet ownership in the province.

---

27 ▶

courageous
[kəréidʒəs]

courage **n** 용기

a 용감한

The fallen officer was commended for being courageous enough to go to work every day in the face of danger.

---

28 ▶

circumstance
[sə́:rkəmstæns]

n (둘러싼) 상황, 환경

In this circumstance, it is best to assume nothing and treat the problem as if you have never seen anything like it before.

---

29 ▶

determine
[ditə́:rmin]

determination **n** 결정, 투지

v 결정하다, 확정하다

The amount of money you may be allowed to borrow is partly determined by the value of your current assets.

---

24 그렇게 차가운 물에서 사람은 12시간 이상 거의 살 수 없고 24시간 이상은 확실히 살 수 없다. **25** 한 원인은 기계가 오작동을 일으켰을 때 공항의 항공관제사가 두 항공기를 구별할 수 없었다는 것이었다. **26** 그 웹사이트는 그 지역의 동물 복지와 애완동물을 기르는 것과 관련된 법률적인 사안에 대한 포괄적인 정보를 포함하고 있다. **27** 사망한 경찰관은 위험에도 아랑곳하지 않고 매일 업무를 수행하는 매우 용감한 사람이라는 찬사를 받았다. **28** 이런 상황에서는 아무것도 가정하지 않고 마치 예전에 그와 같은 문제를 한 번도 본 적 없었던 것처럼 그 문제를 다루는 것이 최선이다. **29** 당신이 빌릴 수 있는 금액은 부분적으로는 당신의 유동 자산의 가치에 의해서 결정된다.

30▶

anticipate
[æntísəpèit]

anticipation ⓝ 기대, 예상

ⓥ 기대하다, 예상하다

Authorities are anticipating trouble at tonight's protest, so more police are being called in to suppress any violent outbreaks.

31▶

belong
[bilɔ́(ː)ŋ]

ⓥ ~에 속하다(to)

I really hate to part with this antique watch; it belonged to my grandmother, and it's a family heirloom.

32▶

arrange
[əréindʒ]

arrangement
ⓝ 준비, 처리 방식

ⓥ 처리하다; 정리하다

The e-mail informed the manager that her guests in Dallas would arrange transportation from the airport.

혼동 어휘

33▶

cooperation
[kouɑ̀pəréiʃən]

cooperate ⓥ 협력[협조]하다

ⓝ 협력, 협조

The problem of criminals and prisons will only be solved through cooperation between national and local officials.

34▶

corporation
[kɔ́ːrpəréiʃən]

corporate ⓐ 회사[기업]의

ⓝ (규모가 큰) 회사, 기업

I work as a marketing consultant for several large corporations in Berlin.

🔓 **30** 당국은 오늘 밤 시위에서 충돌이 있을 것으로 예상하여 폭력 사태 발발을 진압하기 위해 더 많은 경찰이 소집될 것이다. **31** 나는 이 골동품 시계를 정말 내놓기 싫다. 그것은 우리 할머니의 것이었고, 조상 대대로 전해 내려오는 가보이다. **32** 댈러스에 있는 그녀의 손님들이 공항에서 오는 교통편을 마련할 거라고 이메일로 관리자에게 통보되었다. **33** 범죄자와 교도소의 문제는 국가 관리와 지방 관리의 협력을 통해 해결되어야 할 것이다. **34** 나는 베를린의 몇몇 대기업에서 마케팅 컨설턴트로 일한다.

Day 13

접두어	mis- '나쁜', '잘못된'

35 ▶

misunderstand
[mìsʌndərstǽnd]

misunderstanding ⓝ 오해

ⓥ 오해하다

The clerk completely misunderstood my request, so I had to return the item for another.

36 ▶

misuse
[misjúːz]

ⓥ 오용[남용]하다 ⓝ 오용, 남용

The problem is that some people misuse the Internet, and that wastes bandwidth and consumes valuable data storage space.

37 ▶

misbehave
[mìsbihéiv]

ⓥ 무례한 행동을 하다

Experts agree that when kids misbehave in public, parents ought to correct the bad behavior immediately.

38 ▶

mistake
[mistéik]

mistaken ⓐ 잘못 알고 있는

ⓝ 실수, 잘못 ⓥ 실수하다

At least one website is dedicated to tracking the embarrassing mistakes made by famous people in their daily lives.

39 ▶

mischief
[místʃif]

mischievous ⓐ 짓궂은

ⓝ (주로 아이들의) 잘못, 장난; 해, 피해

The accused was taken to a room, questioned by police, and charged with public mischief.

다의어	

40 ▶

current
[kə́ːrənt]

ⓝ (물, 전기 등의) 흐름

The strength of ocean currents is influenced by the depth of the water and the shape of the shoreline.

ⓐ 현재의, 최근의

Current events are those events that are considered important and recent at any one time.

35 점원은 내 요청을 완전히 오해해서 나는 그 품목을 다른 것으로 교환해야 했다. **36** 문제는 몇몇 사람들이 인터넷을 오용하는 것이며, 대역폭을 낭비하고 값비싼 데이터 저장 공간을 소모한다는 것이다. **37** 전문가들은 아이들이 공공장소에서 무례한 행동을 하면 부모가 그 나쁜 행동을 즉시 바로잡아 주어야 한다는 데에 동의한다. **38** 적어도 한 개의 웹 사이트는 유명 인사들이 일상생활에서 저지른 당황스러운 실수를 추적하는 데 전념하고 있다. **39** 피고인은 방으로 인도되어 경찰에게 취조를 받고 미풍양속 위반죄로 기소되었다. **40** 해류의 힘은 물의 깊이와 해안선의 모양에 영향을 받는다. / 시사(時事)는 중요하게 생각되고 어느 때든 최근에 일어난 사건들을 말한다.

A 다음 영어를 우리말로, 우리말을 영어로 쓰시오.

1 achieve _____
2 afterward _____
3 arrange _____
4 circumstance _____
5 cooperation _____
6 corporation _____
7 dare _____
8 derive _____
9 determine _____
10 hostile _____

11 잘못, 장난; 해, 피해 _____
12 가엾은; 한심한 _____
13 용감한 _____
14 무관심한 _____
15 무례한 행동을 하다 _____
16 믿을 수 있는; 확실한 _____
17 복지, 행복 _____
18 언급(하다), 거론 _____
19 오용[남용](하다) _____
20 분명히 밝히다, 규정하다 _____

B 다음 빈칸에 알맞은 말을 쓰시오.

1 innocent **n** _____
2 guilty **n** _____
3 distinguish **a** _____
4 certain **ad** _____

5 sympathetic **n** _____
6 persue **n** _____
7 mischief **a** _____
8 anticipate **n** _____

C 다음 빈칸에 들어갈 알맞은 말을 보기 에서 고르시오.

보기   opposition   provoke   anticipate   publication   courageous

1 The committee quickly removed the controversial poster following the shooting, denying it was meant to _____ violence.

2 The manuscript was accepted for _____ last week after a long review process.

3 It is not easy to show moral courage in the face of either indifference or _____.

4 To be _____ under all circumstances requires strong determination.

5 We _____ the future as if we found it too slow in coming, and we were trying to hurry it up.

01 ▶

contract
[kántrækt]

ⓥ (병에) 걸리다; 계약하다; 줄어들다 ⓝ 계약서

When he contracted influenza, he never attributed this event to his behavior toward his mother.

02 ▶

defend
[difénd]

defense ⓝ 변호; 방어

ⓥ 옹호[변호]하다; 방어하다

Supporters like to defend the plan with tales of starving writers and their impoverished descendants.

03 ▶

erupt
[irʌ́pt]

ⓥ (감정 등이) 터져 나오다; 분출하다, 분화하다

The crowd erupted in "Ohhhhs!".

04 ▶

establish
[istǽbliʃ]

ⓥ 확립하다; (법률, 제도 등을) 제정하다; 설립하다

The meaning of buildings evolves and becomes established by experience.

05 ▶

fluid
[flú(:)id]

ⓝ (동물의) 체액; 유체

They increase their intake of sweets and water when their energy and fluids become depleted.

06 ▶

examine
[igzǽmin]

examination ⓝ 조사, 검사

ⓥ 조사하다, 검사하다

It's a good idea not to sign any contract before examining its contents very carefully.

🔓 **01** 인플루엔자에 걸렸을 때, 그는 이 일을 자신의 어머니에 대한 자신의 행동 탓으로 결코 보지 않았다. **02** 지지하는 사람들은 굶주리는 작가와 그들의 빈곤한 후손들의 이야기를 들어 그 계획에 대해 옹호하는 것을 좋아한다. **03** 사람들은 '외'라는 (놀라움의) 소리를 터뜨렸다. **04** 건물의 의미는 경험에 의해서 발전하고 확립된다. **05** 그들은 에너지와 체액이 고갈되면 단것과 물 섭취를 늘린다. **06** 내용을 매우 자세히 살펴보기 전에 어떤 계약서에도 서명하지 말라는 것은 옳은 충고이다.

07 ▶

occupy
[ákjəpài]
occupation ⓝ 직업, 점령

ⓥ 차지하다, 점령하다

If the habit involves your hands, as when pulling out hair, then try to occupy them in some other way.

08 ▶

vacant
[véikənt]
vacancy ⓝ 결원; 빈 방

ⓐ 빈, 사람이 없는

There is a very high property tax on vacant buildings, so it makes sense to rent whenever possible.

09 ▶

shed
[ʃed]

ⓥ (눈물, 피를) 흘리다; (빛을) 비추다; (낙엽이) 떨어지다

It's natural to shed a few tears of happiness at a wedding for the new bride and groom.

10 ▶

imply
[implái]
implication ⓝ 영향, 암시
implicit ⓐ 암시된, 내재된

ⓥ 암시하다, 의미하다; 함축하다

Several recurring fiscal deficits strongly imply that tax relief for middle-wage earners is a long way off.

11 ▶

bond
[band]

ⓝ 유대(감), 접착 ⓥ 결합하다; 접합하다

Research suggests that in societies with strong family bonds, people tend to live longer and happier lives.

12 ▶

affect
[əfékt]

ⓥ 영향을 미치다, 작용하다

Budget cuts have affected arts and after-school programs in most school districts in the state.

---

07 만약 그 습관이 머리를 잡아당기는 것처럼 당신의 손을 필요로 한다면, 그 손을 어떤 다른 방식으로 차지하려고 노력해 보아라. **08** 빈 건물에는 매우 높은 재산세가 부과되므로 가능하면 세를 주는 것이 합당하다. **09** 결혼식에서 신랑 신부를 위해 기쁨의 눈물을 흘리는 것은 자연스러운 일이다. **10** 여러 차례 반복되는 재정 적자는 중산층을 위한 세금 감면이 아직 멀었다는 것을 강력하게 시사한다. **11** 가족 간 유대감이 강력한 사회의 사람들은 더 오래, 더 행복한 삶을 사는 경향이 있다고 연구는 제시한다. **12** 예산 삭감은 주(州) 내 대부분의 학군에서 예술 및 방과 후 프로그램에 영향을 주었다.

Day 14

13▶

affection
[əfékʃən]

ⓝ 애정, 애착

Valentine's Day is not only about public displays of affection: in recent years it has also become big business.

14▶

institute
[ínstətʃùːt]

ⓥ 도입[시작]하다 ⓝ 기관, 협회

The memo noted that the former nurse is threatening to institute legal proceedings against the hospital.

The institute awards a multitude of research grants and at least three research fellowships each year.

15▶

impair
[impέər]

impairment ⓝ 장애

ⓥ 악화시키다; 손상시키다

Blinding snow may have impaired the driver's chances of avoiding the head-on collision that claimed two lives.

16▶

invest
[invést]

investment ⓝ 투자

ⓥ 투자하다

Dollar cost averaging involves investing small amounts regularly to smooth out the effects of stock market fluctuations.

17▶

tie
[tai]

ⓥ 묶다, 결부시키다 ⓝ 매듭; 속박, 구속

Several members of the organizing committee tied bright red balloons and yellow ribbons to the ceiling.

18▶

primary
[práimèri]

ⓐ 주요한; 최초의

The war in Iraq has become a primary recruitment vehicle for the army, creating a new generation of soldiers.

---

13 밸런타인데이는 단순히 공공연한 애정 표현에 관한 것은 아니다. 최근 수년간 밸런타인데이는 큰 사업이 되었다. 14 그 메모에는 전임 간호사가 그 병원에 대하여 법적 소송을 제기하겠다고 위협하고 있다고 적혀 있었다. / 그 협회는 많은 연구 보조금과 매년 적어도 세 건의 연구 장학금을 수여한다. 15 앞이 보이지 않도록 쏟아지는 폭설이 두 목숨을 앗아간 정면충돌을 피할 운전자의 기회를 감소시켰을 수 있다. 16 달러평균법은 주식시장의 변동으로 인한 영향을 정기적으로 해결하기 위한 소액 투자를 포함한다. 17 조직위원회의 몇몇 위원들은 밝은 빨간색 풍선과 노란색 리본을 천장에 묶었다. 18 이라크에서의 전쟁은 새로운 세대의 병사들을 창출하면서 육군의 주요한 신병 모집 수단이 되었다.

19 ▶
frequent
[frí:kwənt]

frequency ⓝ 빈도; 주파수
frequently ⓐⓓ 자주

ⓐ 빈번한, 잦은

Subway riders have become frustrated with the service in recent months as trains seem to encounter more frequent problems.

20 ▶
polite
[pəláit]

politely ⓐⓓ 공손히

ⓐ 공손한, 예의 바른; 교양 있는, 세련된

Etiquette is a system of social rules or polite behavior relating to a particular group of people.

21 ▶
desire
[dizaiər]

ⓝ 욕구, 바람 ⓥ 바라다, 원하다

According to the most recent survey, residents in the neighborhood desire more sports facilities.

22 ▶
recess
[rí:ses]

ⓝ 휴식 (시간)

Psychologists now understand that children require a recess at school to burn off excess amounts of energy.

23 ▶
deed
[di:d]

ⓝ 일; 행동, 행위

The Good Samaritan Award will go to someone who is always helping people and doing other good deeds.

24 ▶
citizenship
[sítəzənʃip]

ⓝ 시민권

Citizenship brings with it many rights under the law but also many responsibilities newcomers need to be aware of.

---

19 지하철이 보다 잦은 문제에 부딪히는 듯하자 지하철 이용자들은 최근 몇 달 동안 서비스에 실망하게 되었다. **20** 에티켓은 특정 집단과 연관된 사회적 규범 혹은 교양 있는 행동 체계이다. **21** 가장 최근의 조사에 따르면, 이웃의 거주자들은 보다 많은 운동 시설을 원한다. **22** 학교에서 아이들이 과다한 양의 에너지를 연소시킬 쉬는 시간을 필요로 한다는 것을 이제 심리학자들은 이해한다. **23** 착한 사마리아인 상은 항상 사람들을 돕고 타인에게 착한 일을 하는 사람에게 수여된다. **24** 시민권에는 법적으로 많은 권한이 수반되지만, 또한 많은 책임도 따른다는 것을 신규 취득자들은 알아야 한다.

25

minimal
[mínəməl]

ⓐ 최소의, 아주 작은

There may be one or two delays on this service, but they are expected to be minimal.

26

disturb
[distə́:rb]

disturbance ⓝ 방해, 소란

ⓥ 방해하다

I couldn't complete my work at the office because the construction noise downstairs disturbed my concentration.

27

fragile
[frǽdʒəl]

ⓐ 깨지기 쉬운, 취약한; 섬세한

The newspaper's confidence in its source, fragile after the repeated lawsuits, eventually eroded completely.

28

vomit
[vámit]

ⓥ 토하다, 분출하다

If you vomit blood, it may be a symptom of radiation poisoning; seek medical attention immediately.

29

relative
[rélətiv]

relate ⓥ 관련시키다
relatively ad 비교적

ⓝ 친척 ⓐ 상대적인

Traditionally, it is women who assume responsibility for the care of elderly and disabled relatives.

The relative cheapness of overseas travel has resulted in more people going abroad than ever before.

30

survive
[sərváiv]

survival ⓝ 생존

ⓥ 생존하다, 살아남다

The animal, despite the severity of its injuries, is probably going to survive.

25 이 서비스는 하루나 이틀 정도의 지연이 있을 수 있지만, 그러한 기간은 최소한일 것이다. **26** 아래층의 공사 소음이 내 집중력을 방해해서 나는 사무실에서 일을 끝낼 수 없었다. **27** 연이은 소송 후에 취약해진 취재원에 대한 그 신문의 확신은 결국 완전히 사라졌다. **28** 당신이 피를 토한다면 그것은 방사선 피폭 증세일 수도 있다. 당장 의학적 처치를 받아라. **29** 전통적으로 연로하고 몸이 불편한 친척들을 보살피는 책임을 떠맡은 것은 여성들이다. / 해외여행의 상대적 저렴함은 전보다 더 많은 사람들이 해외로 나가는 결과를 낳았다. **30** 그 동물은 상처의 심각성에도 불구하고 아마 살아남을 것이다.

31 ▶

donor
[dóunər]

ⓝ 기증자, 기부자

Unless a suitable donor can be found, the patient will be removed from life support later this week.

32 ▶

surplus
[sə́:rplʌs]

ⓝ 남는 것, 잉여, 흑자 ⓐ 과잉[잉여]의

There is a surplus of coffee in the marketplace, and it is driving the price down.

33 ▶

ecology
[i:kálədʒi]

ⓝ 생태계, 생태학

The new dam will have negative ramifications for fish breeding and lake-floor ecology in general.

34 ▶

starve
[stɑ:rv]

starvation ⓝ 기아, 굶주림

ⓥ 굶주리다

Beginning in 1930, about 1.3 million people starved in the country as their crops were requisitioned by the central authorities.

의외의 뜻을 가진 어휘
35 ▶

party
[pá:rti]

ⓝ 편; 〈정치〉 정당

Imagine that you are in a meeting. Your party and the other party are sitting across a table.

Tips party를 '잔치', '파티'라는 뜻으로만 알고 있었다면 위의 뜻도 함께 알아두자!

🔓 **31** 적절한 기증자를 찾지 못한다면, 그 환자는 이번 주 후반에 생명 유지 장치가 제거될 것이다. **32** 시장에는 커피가 남아돌고 있으며, 그것이 가격을 하락시키고 있다. **33** 새로운 댐은 대체적으로 물고기 번식과 호수 바닥의 생태계에 부정적인 결과를 가져올 것이다. **34** 1930년대 초반, 중앙 정부에 곡물을 징발당하면서 시골에 있는 약 130만 명의 사람들이 굶어 죽었다. **35** 네가 회의 중이라고 상상해 보라. 네 편과 상대편이 탁자 건너편에 앉아 있다.

어근	tain '취하다', '잡다' (= hold)

36▶

attain
[ətéin]

attainment ⓝ 성취, 달성

ⓥ (노력하여) 얻다, 성취하다

Contrary to what we usually believe, the best moments in our lives are not the passive, receptive, relaxing times — although such experiences can also be enjoyable, if we have worked hard to attain them.

37▶

retain
[ritéin]

retention ⓝ 보유

ⓥ 계속 유지하다, 보존하다

In spite of the government's attempts to modernize them, the people of that village insist on retaining their old customs.

38▶

obtain
[əbtéin]

obtainable ⓐ 구할 수 있는

ⓥ 얻다, 성취하다

It may take several weeks to obtain a copy of my birth certificate.

혼동 어휘	

39▶

breed
[bri:d]

ⓝ (동물의) 종 ⓥ 사육하다, 재배하다

Border collies are one of the most popular breeds in the United States.

Scientists are trying to breed a type of cattle that is more resistant to infectious viruses.

40▶

bleed
[bli:d]

blood ⓝ 피

ⓥ 피를 흘리다

Long ago, doctors used to bleed their patients in an effort to cure them.

36 우리가 보통 믿는 것과는 대조적으로, 우리 삶의 최고의 순간은 수동적이고, 수용적이고, 긴장을 풀고 있는 시간이 아니다. 비록 그런 것들을 얻기 위해서 우리가 열심히 노력했다면 그런 경험들도 즐거운 것이긴 하다. 37 현대화시키려는 정부의 시도에도 불구하고 그 마을 사람들은 자신들의 옛 관습을 유지하겠다고 고집한다. 38 내 출생증명서 사본을 받으려면 몇 주일이 걸릴지 모른다. 39 보더 콜리(양치기에 이용되는 개)는 미국에서 가장 인기 있는 종 중 하나다. / 과학자들은 감염성 바이러스에 저항력이 더 강한 종의 소를 사육하기 위해 노력하고 있다. 40 오래 전에 의사들은 환자들을 치료해 보려는 노력으로 그들의 피를 뽑곤 했다.

A 다음 영어를 우리말로, 우리말을 영어로 쓰시오.

1	affect	_____	11	종; 사육[재배]하다	_____
2	bond	_____	12	옹호하다, 방어하다	_____
3	obtain	_____	13	계속 유지하다, 보존하다	_____
4	desire	_____	14	기증자, 기부자	_____
5	examine	_____	15	깨지기 쉬운, 취약한	_____
6	impair	_____	16	생태계, 생태학	_____
7	institute	_____	17	시민권	_____
8	invest	_____	18	주요한; 최초의	_____
9	fluid	_____	19	토하다; 분출하다	_____
10	tie	_____	20	휴식 (시간)	_____

B 다음 빈칸에 알맞은 말을 쓰시오.

1	vacant	(n) _____	5	imply	(a) _____
2	survive	(n) _____	6	frequent	(n) _____
3	polite	(ad) _____	7	disturb	(n) _____
4	relative	(v) _____	8	starve	(n) _____

C 다음 빈칸에 들어갈 알맞은 말을 보기 에서 고르시오.

보기	affection	shed	party	recess	occupies

1 The ruling _____ is expected to win the upcoming national elections.

2 The recently built apartment complex _____ an impressive position overlooking the valley below.

3 We almost never think of the present, and if we do so, it is only to _____ light on our plans for the future.

4 Consider the following implication involving the role of social bonds and _____ among group members.

5 But at school they learned, and very quickly, that children earn Nature Trail tickets for running the quarter-mile track during lunch _____.

01▶

afford
[əfɔ́:rd]

ⓥ ~할 여유가 있다

Only the rich could afford luxury cars.

02▶

obey
[oubéi]

ⓥ 따르다, 지키다, 순종하다

All students are supposed to obey the school rules.

03▶

naive
[nɑːíːv]

ⓐ 순진한, 순진해 빠진

The naive compliments of family will not help you grow as a professional.

04▶

peer
[piər]

ⓝ 또래; 동료

Teens are often worried about looking foolish in front of their peers.

Tips▶ peer pressure는 동료나 또래로부터 받는 사회적 압박을 말한다.

05▶

diverse
[divə́:rs]

diversity ⓝ 다양성

ⓐ 다양한

The power of music is diverse and people respond in different ways.

06▶

mutual
[mjú:tʃuəl]

mutuality ⓝ 상호 관계
mutually ⓐⓓ 상호간에

ⓐ 상호의, 공통의

The making of this requires the mutual agreement of two or more persons or parties, one of them ordinarily making an offer and another accepting.

---

01 부자들만이 고급 자동차를 살 수 있다. **02** 모든 학생들은 교칙을 따라야 한다. **03** 가족의 순진한 칭찬은 여러분이 프로로 성장하는 데 도움이 되지 않을 것이다. **04** 십 대들은 종종 자기 또래 앞에서 바보 같이 보일까 봐 염려한다. **05** 음악의 힘은 다양하고 사람들은 서로 다른 방식으로 반응한다. **06** 이것을 만드는 것은 둘 이상의 사람이나 집단의 상호 동의를 필요로 하고, 대개 이들 중 한 쪽은 제안을 하고 다른 한 쪽은 제안을 수락한다.

07▶

insurance
[inʃúərəns]

ⓝ 보험(금)

It is a legal requirement that you have insurance before you can receive a bank loan for a house.

08▶

paradox
[pǽrədὰks]

ⓝ 역설(적인 상황)

It's a paradox that drinking a lot of coffee often can make you feel more tired.

09▶

reproduce
[rì:prədjú:s]

reproductive ⓐ 번식[생식]의
reproduction ⓝ 생식, 복제

ⓥ 재생산하다; 복사하다; 반복하다

Puberty includes growth of bones, changes in body shape, and development of the body's ability to reproduce.

10▶

explain
[ikspléin]

explanation ⓝ 설명, 해명

ⓥ 설명하다

The company was forced to explain an embarrassing video posted online in which one of its employees was caught sleeping.

11▶

resent
[rizént]

resentful ⓐ 분개한
resentment ⓝ 분개, 분함

ⓥ 분개하다

In Germany, at least some taxpayers resent having to bail out their southern European neighbors.

12▶

confuse
[kənfjú:z]

confusion ⓝ 혼란, 혼동

ⓥ 혼동하다, 헷갈리게 하다

Many people confuse her with someone famous; she really loves the attention.

---

07 주택담보대출을 받기 전에 보험에 들어야 하는 것은 법적 요구사항이다. **08** 커피를 많이 마시는 것이 종종 더 피곤함을 느낄 수 있게 한다는 것은 역설이다. **09** 사춘기는 뼈의 성장, 체형 변화, 그리고 신체의 생식 능력 발달을 포함한다. **10** 직원들 중 한 명이 자는 모습이 포착된 인터넷에 게재된 당혹스러운 비디오에 대해 그 회사는 설명할 수밖에 없었다. **11** 독일에서는 적어도 몇몇 납세자들이 남부 유럽인들에게 구제금융 지원을 하는 것에 분개한다. **12** 많은 사람들이 그녀와 어느 유명인을 혼동한다. 그녀는 주목받는 것을 정말 좋아한다.

13▶

clarify
[klǽrəfài]

clarification ⓝ 정화, 설명

ⓥ 명확하게 하다

This lecture will clarify how to apply for and use a bank account in the UK.

14▶

fault
[fɔːlt]

faulty ⓐ 흠이 있는

ⓝ 잘못; 결함

But this is not the fault of language; it is the arrogance of the individual who misuses the tools of communication.

15▶

genuine
[dʒénjuin]

genuinely ⓐⓓ 진정으로

ⓐ 진짜인, 진품인

Where there is genuine interest, one may work diligently without even realizing it, and in such situations success follows.

16▶

edge
[edʒ]

ⓝ 가장자리, 끝; 우위

The swimmers were all crouched at the pool's edge waiting for the race to begin.

17▶

overlap
[òuvərlǽp]

ⓥ 겹치다, 중복되다

The subject matter of Chapter 5 overlaps somewhat with the material covered in Chapters 3 and 4.

18▶

critical
[krítikəl]

ⓐ 중요한; 비판적인

Overcoming the unemployment problem is considered a critical factor in recovering from the recession.

13 이번 강연은 영국에서 계좌를 개설하고 사용하는 방법을 명확하게 할 것이다. **14** 그러나 이것은 언어의 잘못이 아니다. 그것은 의사소통 도구를 잘못 사용하는 개인의 오만함이다. **15** 진정한 흥미가 있는 곳에서 사람은 자신도 모르게 열심히 일할 것이고, 그런 상황에서 성공이 뒤따른다. **16** 수영선수들은 경기가 시작되기를 기다리며 수영장 가장자리에서 모두 몸을 웅크리고 있었다. **17** 제5장의 주제는 제3장과 제4장이 다루고 있는 내용과 다소 중복된다. **18** 실업 문제를 극복하는 것은 경기 침체로부터의 회복에 있어서 중요한 요소로 간주되고 있다.

19▶

impressive
[imprésiv]

impress ⓥ 깊은 인상을 주다
impression ⓝ 인상, 감명

ⓐ 인상적인

The Eiffel Tower is an impressive sight no matter how many times you visit France.

20▶

concentrate
[kánsəntrèit]

ⓥ 집중하다; 모으다

It is sometimes difficult to concentrate on an important task until you remove small distractions.

21▶

resolve
[rizálv]

resolution ⓝ 해결, 다짐

ⓥ (문제를) 해결하다; 다짐하다

A good human resources manager resolves conflicts without hurting the feelings of those involved.

22▶

secure
[sikjúər]

security ⓝ 보안, 안보
securely ⓐⓓ 단단히

ⓥ (힘들게) 얻다, 안전하게 보호하다 ⓐ 안전한, 확실한

After much negotiating and hard-nosed effort, the customer finally secured the price she was after.

23▶

induce
[indjúːs]

inducement ⓝ 유인책
inductive ⓐ 귀납적인

ⓥ 설득하다, 유발하다

Various massage techniques can induce labor within 48 hours.

🔓 19 프랑스에 아무리 많이 방문하더라도 에펠탑은 인상적인 광경이다. 20 사소한 주의 산만한 것들을 떨치기 전까지 때로는 중요한 과제에 집중하기가 어렵다. 21 유능한 인사관리 담당자는 관련자들의 감정을 상하게 하지 않고 갈등을 해결한다. 22 많은 협상과 빈틈없는 노력 끝에 그 소비자는 마침내 자신이 추구하던 가격을 획득했다. 23 다양한 마사지 기법으로 48시간 이내에 분만을 유도할 수 있다.

24▶

weary
[wíəri]

ⓐ 지친, 피곤한

After such a long walk in this heat, you must be weary; sit down and relax awhile.

25▶

livestock
[láivstàk]

ⓝ 가축

Raising livestock, including cattle, goats, sheep, and pigs, has long been part of country life.

26▶

shelter
[ʃéltər]

ⓝ 주거지, 쉼터 ⓥ 쉴 곳을 제공하다

If you are caught without cover in a blizzard, one of the safest things to do is to build a temporary shelter and wait it out.

27▶

spare
[spɛ́ər]

ⓐ 여분의 ⓥ 할애하다

It's impossible to walk around the downtown core nowadays without being asked by someone for spare change.

28▶

asset
[ǽset]

ⓝ 자산, 재산

The downtown headquarters owned by Lyon Investments Inc. is far and away its most valuable asset.

29▶

justify
[dʒʌ́stəfài]

justification ⓝ 타당한 이유

ⓥ 정당화하다, 해명하다

Although she was not obliged to do so, the judge paused to justify the unusually harsh penalty.

---

24 이런 열기에서 그렇게 오래 걸으면 분명 피곤할 것이다. 앉아서 잠시 쉬어라. 25 소, 염소, 양, 돼지를 포함한 가축을 기르는 것은 오랫동안 시골 생활의 한 부분이었다. 26 심한 눈보라 속에 무방비로 갇힌다면, 해야 할 가장 안전한 일 중 하나는 임시 쉼터를 만들어 눈보라가 끝나기를 기다리는 것이다. 27 요즘 다른 사람에게 여분의 잔돈을 달라는 부탁을 받지 않고 도심을 돌아다니기는 불가능하다. 28 Lyon 투자사가 소유한 시내 본사는 단연코 그 회사의 가장 가치 있는 자산이다. 29 그렇게 할 필요는 없었지만, 그 판사는 평소와 달리 강력한 형벌에 대해 해명하려고 잠시 말을 중단했다.

30▶

exceed
[iksíːd]

excess ⓝ 과잉

ⓥ 넘다, 초과하다

I am concerned about his driving; he habitually exceeds the speed limit.

31▶

exert
[igzə́ːrt]

exertion ⓝ (권력) 행사

ⓥ (영향, 권력, 억압 등을) 이용하다, 행사하다

Some office managers exert considerable pressure on their staff to work long hours without extra pay.

32▶

approximate
[əpráksəmət /
əpráksəmèit]

approximately ad 대략

ⓐ 근사치인, 대략의 ⓥ 비슷하다

At an approximate salary of $170,000, he appears to be the highest paid amateur player in the league.

33▶

tendency
[téndənsi]

tend ⓥ ~하는 경향이 있다

ⓝ 경향

My uncle has a tendency to exaggerate, but he is otherwise an honest and trustworthy man.

혼동 어휘

34▶

fetal
[fíːtl]

fetus ⓝ 태아

ⓐ 태아의, 태아 같은

The prisoner was lying in the fetal position when the guards came to take him to court.

35▶

petal
[pétl]

ⓝ 꽃잎

Flowers with vibrant petal colors are widely sold by florists in Europe.

30 나는 그의 운전이 걱정이다. 그는 습관적으로 제한 속도를 넘긴다. **31** 몇몇 사무 관리자들은 직원들에게 추가 수당 없이 오랜 시간 동안 일하라고 상당한 압력을 행사한다. **32** 그는 대략 17만 불의 급여를 받는데, 그 정도면 리그에서 가장 돈을 많이 받는 아마추어 선수로 보인다. **33** 우리 삼촌은 과장하는 경향이 있지만, 다른 점에서는 정직하고 신뢰할 수 있는 분이다. **34** 그 죄수는 교도관이 법정에 데려가려고 왔을 때 태아 같은 자세로 누워 있었다. **35** 유럽의 꽃가게에서는 꽃잎의 색이 생생한 꽃이 널리 팔린다.

접미어	less '없는'

36 ▶

endless
[éndlis]

ⓐ 끝없는, 무한한

The young restaurant chef was forced to resign after receiving an endless series of complaints about his food.

37 ▶

useless
[júːslis]

ⓐ 쓸모 없는

Security experts have warned that face recognition is useless for crowd surveillance.

38 ▶

harmless
[háːrmlis]

ⓐ 무해한, 악의 없는

Cyber bullying is not a harmless offense; in fact, it can be as damaging as physical violence.

39 ▶

helpless
[hélplis]

ⓐ 무력한

My heart goes out to helpless animals that have been mistreated by cruel people.

40 ▶

shameless
[ʃéimlis]

ⓐ 창피한 줄 모르는

Parking that brand-new convertible in his driveway for all to see is a shameless display of wealth.

36 그 젊은 레스토랑 요리사는 음식에 대한 끊임없는 불평을 받아들이고 나서 사임할 수밖에 없었다. 37 얼굴 인식이 집단 감시용으로는 무용지물이라고 보안 전문가들은 경고해 왔다. 38 사이버 집단 따돌림이 무해한 범죄는 아니다. 실제로 그것은 물리적 폭력만큼 해로울 수 있다. 39 내 마음은 잔인한 사람들에게 학대받는 무력한 동물들에게 쏠려 있다. 40 새로운 오픈카를 모두가 볼 수 있게 자기 사유 차도에 주차하는 것은 창피한 줄 모르는 부의 과시이다.

A 다음 영어를 우리말로, 우리말을 영어로 쓰시오.

1	confuse	_____	11	(권력 등을) 이용하다	_____
2	edge	_____	12	경향	_____
3	explain	_____	13	꽃잎	_____
4	impressive	_____	14	끝없는, 무한한	_____
5	insurance	_____	15	따르다, 지키다, 순종하다	_____
6	livestock	_____	16	무력한	_____
7	overlap	_____	17	분개하다	_____
8	paradox	_____	18	자산, 재산	_____
9	peer	_____	19	집중하다, 모으다	_____
10	spare	_____	20	창피한 줄 모르는	_____

B 다음 빈칸에 알맞은 말을 쓰시오.

1	fault	ⓐ _____		5	fetal	ⓝ _____
2	exceed	ⓝ _____		6	clarify	ⓝ _____
3	approximate	ⓐⓓ _____		7	secure	ⓝ _____
4	genuine	ⓐⓓ _____		8	resolve	ⓝ _____

C 다음 빈칸에 들어갈 알맞은 말을 [보기]에서 고르시오.

보기	reproduced	secure	mutual	critical	diverse

1 The couple's happy marriage is based on their _____ trust.

2 The nation's population will look dramatically different by mid-century, becoming more racially and ethnically _____.

3 While the fine art object is valued because it is unique, it is also valued because it can be _____ for popular consumption.

4 Many students are discouraged by _____ feedback on school assignments, but others are motivated by it.

5 The bank keeps valuables such as jewelry in a _____ facility located in the basement of the building.

up

01 ▶

pick up

~을 집어 올리다; 도중에 태우다

If you need anything, just pick up the phone and call me.

02 ▶

come up with

(해답 등을) 찾아내다; ~을 제안하다

Doctors should identify root causes of disease to come up with a personalized treatment.

03 ▶

throw up

토하다

The patient who was throwing up blood was finally sent to the emergency room.

04 ▶

take up

차지하다

Because all the used books were taking up too much space in my office, I decided to donate them to charity.

down

05 ▶

fall down

넘어지다

I fell down on the stairs and felt embarrassed.

06 ▶

narrow down

좁히다, 줄이다

To narrow down the number of applicants, the graduate school made its admission requirements stricter.

07 ▶

let down

실망시키다, 낙담시키다

I promised my friends that I would help them this weekend, and I can't let them down.

08 ▶

pass down

전수하다, 전해주다

This recipe for cinnamon rolls is a family specialty passed down from my great-grandmother.

01 필요한 것이 있으시면 전화기를 들어 제게 전화 주세요. 02 의사들은 개인화된 치료법을 찾아내기 위해서 질병의 근본 원인을 규명해야 한다. 03 피를 토하고 있던 환자는 결국 응급실로 보내졌다. 04 내 사무실에 있는 모든 중고 책이 너무 많은 공간을 차지해서 자선단체에 기부하기로 했다. 05 나는 계단에서 넘어져 창피했다. 06 그 대학원은 지원자들의 수를 줄이기 위해 입학 요건을 더 엄격하게 만들었다. 07 나는 이번 주말에 친구들을 도와주기로 약속했고, 나는 그들을 실망시킬 수 없다. 08 계피롤 빵 조리법은 증조할머니께서 전수해 주신 가족만의 비법이다.

Day 16
~20

앞으로 학습할 어휘 중 알고 있는 단어가 있는지 먼저 체크해 보세요.

- ☐ announce
- ☐ reject
- ☐ procedure
- ☐ realize
- ☐ domestic
- ☐ visual
- ☐ fate
- ☐ colleague
- ☐ incredible
- ☐ attempt
- ☐ obvious
- ☐ active
- ☐ exist
- ☐ potential
- ☐ inform
- ☐ proper
- ☐ opportunity
- ☐ consequence
- ☐ approach
- ☐ influence

Day 16

---

01 ▶

incorporate
[inkɔ́:rpərit]

ⓥ 포함하다, 합병하다

Outdated works may be incorporated into new creative efforts.

---

02 ▶

endeavor
[endévər]

ⓝ 노력, 시도

The extended copyright protection frustrates new creative endeavors.

---

03 ▶

attribute
[ətríbju:t / ǽtrəbjù:t]

ⓥ ~의 탓이라고 보다 ⓝ 자질, 속성

Not all residents attribute environmental damage to tourism.

---

04 ▶

hence
[hens]

ad 그러므로

Grace was a newcomer to this town, hence she had no close friends here.

---

05 ▶

tremble
[trémbl]

ⓥ 떨다

The temperature outside was so cold that I trembled for an hour after arriving home.

---

06 ▶

finite
[fáinait]

ⓐ 유한한, 한정된

Real estate is expensive because there is a finite amount of available land in the world.

---

01 시대에 뒤진 작품이 새로운 창의적인 노력 속에 편입될 것이다. 02 연장된 판권 보호는 새로운 창의적인 노력을 좌절시킨다. 03 모든 주민들이 다 환경 파괴의 원인이 관광 산업에 있다고는 생각하지 않는다. 04 Grace는 이 마을에 새로 왔다. 그러므로 그녀는 여기에 친한 친구가 없었다. 05 바깥의 기온이 너무 추워서 나는 집에 도착한 후에도 한 시간을 떨었다. 06 세계에는 사용 가능한 토지의 양이 한정되어 있기 때문에 부동산이 비싸다.

07▶

infinite
[ínfənit]
infinity ⓝ 무한성, 무한대

ⓐ 무한한

Our teacher is able to explain complex procedures to us with infinite patience.

08▶

rational
[rǽʃənl]

ⓐ 합리적인, 이성적인

I think the meeting is getting too emotional; let's wait until we can have a rational discussion.

09▶

judge
[dʒʌdʒ]
judgment ⓝ 판단, 심판

ⓥ 판단[판정]하다 ⓝ 판사; 심판

Some people believe that happiness is more important than money, so success cannot be judged by any one standard.

10▶

assemble
[əsémbl]
assembly ⓝ 의회, 집회

ⓥ 모이다, 모으다; 조립하다

At five o'clock sharp this afternoon, all department heads will assemble in the boardroom for a meeting.

11▶

announce
[ənáuns]
announcement ⓝ 발표, 소식

ⓥ 발표하다, 알리다

The international sports committee announced the winner of the host city competition earlier this morning.

12▶

experiment
[ikspérəmənt]
experimental ⓐ 실험적인

ⓝ 실험 ⓥ 실험하다

An experiment was designed to measure peoples' willingness to help total strangers in a busy city.

07 우리 선생님은 무한한 인내심을 가지고 우리에게 복잡한 절차를 설명할 수 있다. 08 회의가 너무 감정적이 되는 것 같습니다. 이성적인 토론을 할 수 있을 때까지 기다립시다. 09 어떤 사람들은 행복이 돈보다 더 중요해서 성공이 어떤 하나의 기준으로 판단될 수 없다고 믿는다. 10 오늘 오후 5시 정각에 모든 부서장들이 회의를 하러 회의실에 모일 것이다. 11 국제 스포츠 위원회는 오늘 아침 일찍 개최 도시 경선의 승자를 발표했다. 12 한 분주한 도시에서 모든 낯선 사람들을 도우려는 사람들의 의지를 측정하려는 실험이 고안되었다.

13▶

visual
[víʒuəl]

vision ⓝ 시력, 시야
visualize ⓥ 상상하다
visually ad 시각적으로

ⓐ 시각의

A visual dictionary provides not only definitions but also shows how words are related.

14▶

obvious
[ábviəs]

obviously
ad 명백하게, 분명히

ⓐ 명백한, 분명한

The obvious solution to your money problems is to spend less and save more.

15▶

instruct
[instrʌ́kt]

instruction ⓝ 설명, 지시
instructive ⓐ 유익한

ⓥ 지시하다, 가르치다

The tour guide instructed her group not to leave the path as they entered the forest.

16▶

subject
[sʌ́bdʒikt]

ⓝ 주제; 대상; 피실험자

The subject of the article was interesting, but the main point was not very well developed.

17▶

conduct
[kəndʌ́kt]

ⓥ 행동하다, 지휘하다 ⓝ 행동, 수행

A new team of detectives was asked by the mayor's office to conduct a separate investigation.

13 그림 사전은 뜻뿐만 아니라 단어들이 어떻게 관련되어 있는지도 제공한다. 14 당신의 돈 문제에 대한 분명한 해결책은 덜 쓰고 더 저축하는 것이다. 15 그 여행 가이드는 숲으로 들어가면서 길에서 떠나지 말라고 자신의 일행에게 지시했다. 16 그 기사의 주제는 흥미로웠지만, 요점은 그다지 잘 기술되어 있지 않았다. 17 새로운 형사 팀은 시장실로부터 별도의 조사를 수행하라는 요청을 받았다.

18 ►

internal
[intə́:rnl]
internally **ad** 내부적으로

ⓐ 내부의, 체내의

The internal workings of the brain are still largely unknown, but scientists make new discoveries every year.

19 ►

liable
[láiəbl]

ⓐ ~하기 쉬운, ~의 영향을 받기 쉬운

The whole region south of the city is liable to drought, so year-round irrigation is a must.

20 ►

stall
[stɔ:l]

ⓥ (엔진, 시동 등이) 갑자기 멎다 ⓝ 가판, 매대

As luck would have it, a tow truck arrived five minutes after my car stalled this afternoon.

21 ►

flow
[flou]

ⓥ 흐르다 ⓝ 흐름

Powerful ocean waves flowed through the city streets in the wake of the tsunami.

22 ►

paralyze
[pǽrəlàiz]

ⓥ 마비시키다

The puppy was paralyzed with fear by the sight of the much larger dog coming into the yard.

23 ►

mimic
[mímik]
mimicry ⓝ 흉내

ⓥ 모방하다, 흉내 내다

One way to improve your pronunciation in a second language is to mimic native speakers.

---

18 뇌의 내부적 활동은 여전히 상당 부분 알려져 있지 않았지만, 과학자들은 매년 새로운 발견을 이루어내고 있다. **19** 도시의 남부 전역은 가뭄의 영향을 받기 쉬워서 일 년 내내 관개가 반드시 필요하다. **20** 운 좋게도, 오늘 오후에 내 차가 갑자기 멈춘 지 5분 만에 견인 트럭이 도착했다. **21** 쓰나미의 결과로 강력한 해양 파도가 도시의 거리를 관통하여 흘렀다. **22** 그 강아지는 훨씬 더 큰 개가 마당으로 들어오는 것을 보고 두려움으로 얼어붙었다. **23** 외국어에서 발음을 향상시키는 한 가지 방법은 원어민을 흉내 내는 것이다.

---

24 ▶

reluctant
[rilʌ́ktənt]

reluctantly **ad** 마지못해서

ⓐ 꺼리는

The government has been looking to reluctant investors to revive the housing market.

---

25 ▶

proper
[prɑ́pər]

properly **ad** 적절히

ⓐ 적절한, 알맞은

The young manager's reaction to the customer's complaint was swift and proper.

---

26 ▶

attract
[ətrǽkt]

attraction **ⓝ** 매력, 매혹

ⓥ 이끌다; 매혹하다

The scenic views and rich history originally attracted us to the area, but now we love the people, too.

---

27 ▶

distract
[distrǽkt]

distraction
ⓝ 집중을 방해하는 것

distractive
ⓐ 정신을 산만하게 하는

ⓥ 집중이 안 되게 하다, 방해하다

Noise from low-flying airplanes might distract test-takers' attention during the critical part of the examination.

---

28 ▶

fundamental
[fʌ̀ndəméntl]

fundamentally
ad 근본적으로

ⓐ 근본적인

One of the fundamental properties of energy is that it cannot be destroyed or created.

---

24 정부는 주저하는 투자자들이 주택 시장을 회복시키리라고 기대하고 있다. **25** 손님들의 불만에 대한 그 젊은 관리인의 반응은 신속하고 적절했다. **26** 원래 수려한 풍경과 풍부한 역사가 우리를 그곳으로 이끌었으나, 이제 우리는 그 사람들도 아주 좋아한다. **27** 저공비행하는 비행기의 소음은 시험의 중요한 순간에 수험자들의 주의를 방해할 수도 있다. **28** 에너지의 근본적인 특성 중 하나는 그것이 파괴될 수도, 창조될 수도 없다는 것이다.

29▶

cease
[siːs]

ⓥ 중단하다, 중단시키다

The company **ceased** using famous sports stars to market its products to children last year.

30▶

inner
[ínər]

ⓐ 내부의, 내면의

The **inner** part of a dog's ear is sensitive to dirt, so take care to keep this area clean.

31▶

phenomenon
[finámənàn]

phenomenal ⓐ 경이로운

ⓝ 현상

A fireball is a natural **phenomenon** that occurs when a basketball-sized rock pushes through the atmosphere.

32▶

deny
[dinái]

denial ⓝ 부인, 거부

ⓥ 거부하다

I have **denied** your request for an extension on your biology homework assignment.

33▶

previous
[príːviəs]

previously ad 미리, 사전에

ⓐ 이전의, 사전의

The **previous** owner of the apartment had been rather sloppy, so we had to remodel.

34▶

opposite
[ápəzit]

oppose ⓥ 반대하다, 겨루다

ⓝ 반대 ⓐ 반대편의, 맞은편의

You'll find the restrooms on the **opposite** side of the amusement park next to the security booth.

🔓 **29** 그 회사는 아이들에게 자사 제품을 판촉하기 위해 유명 스포츠 스타들을 이용하는 것을 지난해에 중단했다. **30** 개의 귀 내부는 먼지에 민감하므로 이 부분을 청결하게 유지하도록 보살펴라. **31** 유성은 농구공만한 크기의 바위가 대기로 돌진할 때 일어나는 자연 현상이다. **32** 나는 생물학 숙제 기간을 연장해 달라는 너의 요구를 거부했다. **33** 그 아파트의 전 소유주는 어설픈 편이어서 우리가 리모델링을 해야만 했다. **34** 경비실 바로 옆에 있는 놀이공원의 길 건너편에 있는 그 화장실들을 당신은 발견할 수 있을 겁니다.

접미어	**less** '없는'
35 ▶	
meaningless [míːniŋlis]	ⓐ 무의미한, 중요하지 않은 Apologizing again after making the same mistake ten times in a row is a meaningless gesture.
36 ▶	
selfless [sélflis]	ⓐ 이타적인 Taking care of his ailing grandmother was a selfless act consistent with his character.
37 ▶	
limitless [límitlis]	ⓐ 방대한, 무한한 Young children seem to have a limitless amount of energy to play.
38 ▶	
countless [káuntlis]	ⓐ 셀 수 없이 많은 Countless attempts have been made to run the mile in less than three-and-one half minutes, but all have failed.
39 ▶	
priceless [práislis]	ⓐ 매우 귀중한, 값을 매길 수 없는 The gallery reported to authorities a theft of more than ten priceless works of art.

의외의 뜻을 가진 어휘	
40 ▶	
share [ʃɛər]	ⓝ 주식 The company offered its shares to its senior managers first and only later to the general public. Tips share를 '나누다', '공유하다'라는 뜻으로만 알고 있었다면 '주식'이라는 뜻도 함께 알아두자!

🔓 **35** 같은 실수를 연속해서 열 번이나 저지르고 나서 다시 사과하는 것은 무의미한 행동이다. **36** 병든 할머니를 돌보는 일은 그의 성격에 부합되는 이타적인 행위이다. **37** 아이들은 놀기 위한 무한한 양의 에너지를 가지고 있는 듯하다. **38** 1마일을 3분 30초 안에 뛰려는 셀 수 없이 많은 시도들이 이루어졌지만, 모두 실패했다. **39** 그 미술관은 열 점이 넘는 매우 귀중한 미술 작품의 도난을 당국에 보고했다. **40** 그 회사는 처음에는 고위 간부들에게 주식을 제공했고, 나중에서야 일반 사람들에게도 제공했다.

A 다음 영어를 우리말로, 우리말을 영어로 쓰시오.

1	announce	_____	11 노력, 시도	_____
2	flow	_____	12 꺼리는	_____
3	instruct	_____	13 무의미한	_____
4	internal	_____	14 반대, 반대편의	_____
5	liable	_____	15 시각의	_____
6	rational	_____	16 이끌다; 매혹하다	_____
7	stall	_____	17 이전의, 사전의	_____
8	subject	_____	18 이타적인	_____
9	tremble	_____	19 주식	_____
10	limitless	_____	20 집중이 안 되게 하다	_____

B 다음 빈칸에 알맞은 말을 쓰시오.

1	assemble	n	_____	5	experiment	a	_____
2	judge	n	_____	6	instruct	n	_____
3	infinite	n	_____	7	mimic	n	_____
4	proper	ad	_____	8	deny	n	_____

C 다음 빈칸에 들어갈 알맞은 말을 보기 에서 고르시오.

보기	paralyzed	conduct	obvious	judging	inner

1 Your past experience gives you the basis for _____ whether your instincts can be trusted.

2 Although this may sound like an _____ first step, it is a step that many people ignore.

3 In its simplest form, behavior is the _____ of an organism — the way it acts.

4 Everyone has instincts, and listening to your _____ voice is always a good idea.

5 Kevin had a car accident three years ago, and his legs were _____.

01 ▶
grave
[greiv]

ⓐ 심각한, 중대한 ⓝ 무덤

The amount of young produced today is a hundred times less than in the past, putting the survival of species at grave risk.

02 ▶
initiate
[iníʃieit]

ⓥ 시작하다, 개시하다

The loss of cognitive intrigue may be initiated by the sole use of play items with predetermined conclusions.

03 ▶
interaction
[ìntərǽkʃən]

ⓝ 상호 작용; 소통

Frequently, this complex interaction between different senses is referred to as 'taste.'

04 ▶
legend
[lédʒənd]

ⓝ (지도의) 범례; 전설

The legend and scale information give the map an aura of scientific accuracy and objectivity.

05 ▶
reject
[ridʒékt]

rejection ⓝ 거절

ⓥ 거부하다, 거절하다

The philosophy behind modern art rejects traditional ideas and seeks to find new forms of expression.

06 ▶
fate
[feit]

fatal ⓐ 치명적인

ⓝ 운명, 숙명

It must be fate that we ended up in the same language class again this year!

01 오늘날 생산되는 어린 동물의 양이 과거보다 백 배나 적어서, 종의 생존이 심각한 위기에 처하게 된다. 02 인지적 호기심의 상실은 미리 정해진 결론을 가지고 놀잇감을 한 가지 방식으로 사용함으로써 시작되었을지도 모른다. 03 빈번히, 이러한 서로 다른 감각 간의 복합적 상호 작용은 '맛'이라 불린다. 04 범례와 축척의 정보는 지도에게 과학적인 정확성과 객관성의 분위기를 부여한다. 05 현대 미술의 이면에 있는 철학은 전통적인 사상을 거부하고 새로운 표현 형식을 찾는 것을 추구한다. 06 우리가 올해에도 결국 같은 어학 수업을 수강하게 된 것은 운명임이 틀림없다!

07 ►

desirable
[dizáiərəbl]

desirably **ad** 바람직하게

ⓐ 가치 있는, 바람직한; 탐나는

Engineering is regarded as a highly desirable major at the university, but the entrance requirements are high.

08 ►

admit
[ədmít]

ⓥ 인정하다

She admitted her fault, but it was too late; the friendship seemed lost forever.

09 ►

sharp
[ʃɑːrp]

sharpen ⓥ 날카롭게 하다

ⓐ 날카로운; 급격한

Industrial scissors have a very sharp, durable point, so be careful when handling them.

10 ►

anxious
[æŋkʃəs]

anxiety ⓝ 불안감; 열망

ⓐ 불안해하는; 열망하는

My father became more and more anxious as the date of his operation neared.

11 ►

scan
[skæn]

ⓥ 훑어보다; 자세히 조사하다

I scanned the registry in the building's lobby for the floor number of the agency.

12 ►

stiffen
[stífən]

stiff ⓐ 뻣뻣한

ⓥ 굳어지다, 뻣뻣해지다

The amateur singers stiffened as the results of their auditions were about to be announced.

🔓 **07** 공학은 대학에서 매우 가치 있는 전공으로 간주되지만 입학 요건이 높다. **08** 그녀는 자신의 잘못을 인정했지만 너무 늦고 말았다. 우정은 영원히 사라진 듯했다. **09** 산업용 가위는 날이 아주 날카롭고, 내구성이 강하므로 다룰 때 조심해야 한다. **10** 우리 아버지는 수술 날짜가 가까워질수록 점점 더 불안해졌다. **11** 나는 그 대리점이 몇 층에 있는지 보려고 건물 로비에 있는 입주자 안내판을 훑어보았다. **12** 그 아마추어 가수들은 오디션 결과가 곧 발표된다고 하자 몸이 굳어졌다.

13▶

embrace
[embréis]

ⓥ 받아들이다; 포옹하다

Here at Telus Communications, we embrace new technology; it's the cornerstone of our corporate philosophy.

14▶

terrify
[térəfài]

ⓥ 겁먹게 하다, 무섭게 하다

The movie terrified me so much that I asked my friend to walk me home.

15▶

sorrow
[sárou]

sorrowful ⓐ 슬픈

ⓝ 슬픔

The sorrow she felt at the images of homeless children on TV was almost too much to bear.

16▶

active
[ǽktiv]

activity ⓝ 활동; 활기
actively ⓐd 활발히

ⓐ 활동적인, 적극적인

He is active in the community, often going door to door in his free time to help complete strangers.

17▶

passive
[pǽsiv]

passively ⓐd 수동적으로

ⓐ 소극적인, 수동적인

Don't take a passive role when it comes to pursuing your dreams; instead, reach for the stars.

18▶

receptive
[riséptiv]

receive ⓥ 받다
reception ⓝ 접수처; 환영회

ⓐ 수용적인, 잘 받아들이는

Passengers have not been receptive to the new body scanners at airports.

---

13 이곳 Telus Communications 사에서는 신기술을 기꺼이 받아들입니다. 그것이 우리 기업 철학의 초석입니다. **14** 그 영화가 나를 너무 무섭게 해서 나는 친구에게 집에 데려다 달라고 부탁했다. **15** TV에 나온 집 없는 아이들의 모습을 보고 그녀가 느낀 슬픔은 너무 커서 견딜 수 없을 정도였다. **16** 그는 지역 사회에 적극적이며, 종종 한가한 시간에 아주 낯선 사람들을 돕기 위해 집집이 방문한다. **17** 네 꿈을 추구할 때에는 소극적인 역할을 맡지 말라. 그 대신 목표를 크게 가져라. **18** 승객들은 공항의 새로운 알몸 투시기를 잘 받아들이지 않았다.

19▶

accomplish
[əkámpliʃ]

accomplishment ⓝ 업적

ⓥ 성취하다, 이루다

The teacher told her colleagues that she believed her students could accomplish great things.

20▶

worthwhile
[wə́:rθhwàil]

ⓐ 가치 있는

Most people would agree that watching TV is not a worthwhile use of a person's time.

21▶

master
[mǽstər]

ⓥ 완전히 익히다, 숙달하다

The child prodigy had mastered the game of chess by the age of five.

22▶

complicated
[kámpləkèitid]

ⓐ 복잡한

She took apart and cleaned the complicated engine like a professional mechanic.

23▶

passage
[pǽsidʒ]

ⓝ (책의) 구절; 통로; (시간의) 흐름

Passages of the soon-to-be-published book were printed in newspapers to generate interest.

24▶

opportunity
[àpərtjú:nəti]

ⓝ 기회

Our team had the opportunity to travel to Europe last year; it was a fantastic experience.

🔓 **19** 그 교사는 학생들이 큰일을 성취할 수 있다는 것을 믿는다고 동료에게 말했다. **20** 대부분의 사람은 TV 시청이 개인의 시간을 가치 있게 사용하는 것이 아니라는 데 동의할 것이다. **21** 그 신동은 다섯 살의 나이에 체스 게임을 완전히 익혔다. **22** 그녀는 전문 기계공처럼 복잡한 엔진을 분해하고 청소했다. **23** 관심을 불러일으키기 위해 곧 출간될 책의 구절이 신문에 실렸다. **24** 우리 팀은 작년에 유럽을 여행할 기회가 있었다. 그것은 환상적인 경험이었다.

25 ▶

numerous
[njúːmərəs]

numeral ⋒ 숫자; 수사
numerously **ad** 수없이 많이

ⓐ 많은

You've helped me on **numerous** occasions, so I'm only too happy to return the favor.

---

26 ▶

significant
[signífikənt]

significantly **ad** 상당히; 크게

ⓐ 중요한

The tech giant claimed that the new mobile device was a **significant** improvement over its earlier version.

---

27 ▶

devote
[divóut]

devotion ⋒ 헌신, 전념

ⓥ 헌신하다, 바치다

The employees all **devoted** an equal amount of time to the project.

---

28 ▶

earnest
[ə́ːrnist]

ⓐ 성실한; 진지한

He was an **earnest** young man; he took his studies seriously and was polite to his professors.

---

29 ▶

attach
[ətǽtʃ]

attachment ⋒ 애착, 첨부 파일

ⓥ 첨부하다; 붙이다

Please **attach** a recent photo to your job application before you submit it.

---

30 ▶

detach
[ditǽtʃ]

detachment
⋒ 무심함, 초연함; 분리

ⓥ 분리하다, 떼다

You can **detach** the pant legs if you get hot or just prefer to wear shorts.

---

25 당신은 저를 많이 도와주셨습니다. 그래서 행복한 마음으로 그에 기꺼이 보답할 뿐입니다. **26** 그 거대한 첨단 기술업체는 그 새로운 모바일 기기가 초기 모델을 능가하는 중요한 진보라고 주장했다. **27** 그 직원들은 모두 그 프로젝트에 같은 양의 시간을 바쳤다. **28** 그는 성실한 청년이었다. 그는 진지하게 공부했고 교수들에게 공손했다. **29** 입사 지원서를 제출하기 전에 최근 사진을 붙여라. **30** 더워지거나 반바지가 입고 싶어지면, 바지의 다리 부분을 떼어낼 수 있습니다.

31▶

observe
[əbzə́:rv]
observation ⓝ 관찰; 감시

ⓥ 관찰하다; 목격하다

The security guard **observed** the suspicious-looking character in the parking lot by using CCTV.

32▶

neglect
[niglékt]

ⓥ 방치하다, 등한시하다

Don't **neglect** any parts of the assignment or you will get a lower grade.

33▶

ongoing
[ángòuiŋ]

ⓐ 진행 중인

The police refused to comment about the break-in, saying it was an **ongoing** investigation.

34▶

regard
[rigá:rd]

ⓥ 여기다

Her teachers always **regarded** her as a bright, clever student with a lively personality.

35▶

innovate
[ínouvèit]
innovation ⓝ 혁신, 쇄신

ⓥ 혁신[쇄신]하다

The IT department always wants to **innovate**; it's costing the company too much money.

36▶

assure
[əʃúər]
assurance ⓝ 확언; 자신감

ⓥ 장담하다, 보장하다

The president **assured** the panel that personal income taxes would not increase after the election.

---

31 보안요원은 CCTV로 주차장에 있는 수상하게 생긴 인물을 관찰했다. **32** 과제의 어느 한 부분도 소홀히 하지 마라. 그렇지 않으면 더 낮은 점수를 받을 것이다. **33** 경찰은 그 주거 침입에 대해 계속 조사 중이라고 말하면서 언급을 회피했다. **34** 그녀의 선생님들은 항상 그녀를 활기찬 성격의 밝고, 영리한 학생이라고 여겼다. **35** IT 부서는 언제나 혁신하기를 원한다. 그런데 그것은 회사에 지나치게 큰 비용을 들게 한다. **36** 대통령은 개인 소득세는 선거가 끝나도 인상되지 않을 것이라고 패널들에게 장담했다.

혼동 어휘

37▶

expand
[ikspǽnd]

expansion ⑪ 확대, 확장
expansive ⓐ 광활한, 광범위한

ⓥ 커지다, 확장하다

The coffee shop on the corner has now expanded into a full restaurant.

38▶

extent
[ikstént]

extend ⓥ 연장[확장]하다

⑪ (중요성, 심각성, 크기, 길이 등의) 정도[규모]

The full extent of the damage caused by the fire won't be known until we have inspected the building.

39▶

expense
[ikspéns]

expensive ⓐ 비싼

⑪ 비용, 돈

I don't think that a first-class ticket is worth the added expense.

다의어

40▶

ground
[graund]

ⓥ 토대가 되다, 기초가 되다

The wisest people I know ground their beliefs in facts that can be proven.

ⓥ (자녀를) 외출 금지시키다

My parents grounded me on the spot when they caught me sneaking out of the house one evening when I was in high school.

37 모퉁이에 있는 커피숍이 지금은 완전한 음식점으로 확장되었다. **38** 화재 때문에 생긴 모든 피해 규모는 우리가 건물을 검사할 때까지 밝혀지지 않을 것이다. **39** 나는 일등석 표가 추가 비용을 낼 만큼 가치 있다고 생각하지 않는다. **40** 내가 아는 가장 현명한 사람들은 증명될 수 있는 사실에 대한 자신들의 신념을 기본으로 한다. / 부모님은 내가 고등학교에 다니던 어느 날 저녁 몰래 집을 빠져나가는 것을 목격하고, 그 자리에서 외출 금지시켰다.

A 다음 영어를 우리말로, 우리말을 영어로 쓰시오.

1 assure	11 구절; 통로; 흐름	
2 attach	12 가치 있는	
3 admit	13 거부하다, 거절하다	
4 embrace	14 겁먹게 하다	
5 desirable	15 수용적인	
6 detach	16 슬픔	
7 grave	17 여기다	
8 earnest	18 완전히 익히다	
9 expense	19 혁신[쇄신]하다	
10 extent	20 훑어보다	

B 다음 빈칸에 알맞은 말을 쓰시오.

1 anxious	n		5 fate	a	
2 sharp	v		6 stiffen	a	
3 active	n		7 expand	a	
4 accomplish	n		8 assure	n	

C 다음 빈칸에 들어갈 알맞은 말을 보기 에서 고르시오.

보기	active	detached	opportunities	devoted	expanding

1 Secondary school should be a time for _____ horizons — not limiting them.

2 The most satisfying and expressive drawing is done with the _____ engagement of the entire body.

3 Fueled by a lifelong love of literature, Gonzales has _____ himself to providing people with more access to literature.

4 The astronaut temporarily _____ herself from the cord securing her to the outside of the space shuttle.

5 For example, many Chinese students have become interested in Korean as they plan to work for Korean firms, which offer better _____ and pay.

01▶

decade
[dékeid]

ⓝ 10년

We might spend the next three **decades** in a permanent identity crisis.

02▶

refreshments
[rifréʃmənts]

ⓝ 가벼운 식사, 다과

Lunch is not provided, so please bring your own **refreshments**.

03▶

humid
[hjú:mid]

ⓐ 습한, 눅눅한

It was also so hot and **humid** that Ian could not enjoy the tour fully.

04▶

incidental
[ìnsidéntəl]

ⓐ 부수적인

The setting, time period, dialogue and other **incidental** details are changed.

05▶

encyclopedia
[ensàikloυpí:diə]

ⓝ 백과사전

In this modern age, looking at an **encyclopedia** for information is a rare activity, especially with the Internet so readily available.

06▶

vary
[véəri]

variety ⓝ 다양성
various ⓐ 다양한

ⓥ (서로) 다르다

Prices **vary** widely from shop to shop, so it's best to do some online research before you go shopping.

🔓 **01** 우리는 앞으로 30년을 영속적인 정체성 위기 속에서 살게 될지도 모른다. **02** 점심 식사가 제공되지 않으니 각자 가볍게 드실 수 있는 음식을 준비해 오세요. **03** 또한 날씨가 너무 덥고 습해서 Ian은 그 여행을 완전히 즐길 수가 없었다. **04** 배경, 시기, 대화 그리고 기타 부수적인 사항이 변경되었다. **05** 이 현대 시대에서 정보를 찾으려고 백과사전을 보는 것은, 특히 인터넷이 너무 쉽게 사용 가능한 상태에서는 보기 드문 행동이다. **06** 가격은 상점마다 크게 다르다. 그래서 쇼핑을 하기 전에 온라인으로 검색하는 것이 가장 좋다.

07▶

context
[kántekst]

ⓝ 문맥, 맥락

If you can't understand what a word means, look at the context for clues.

08▶

respond
[rispánd]

response ⓝ 대답, 회신

ⓥ 응답[대답]하다

If you are willing to take part in the survey, please respond to this e-mail by no later than Friday.

09▶

procedure
[prəsí:dʒər]

proceed ⓥ 계속 진행하다

ⓝ 절차

The government will establish procedures for dealing with natural disasters like earthquakes and floods.

10▶

literary
[lítərèri]

ⓐ 문학의, 문학적인

Over her 40-year career, the novelist won several literary awards including the UK's Man Booker Prize.

11▶

sociology
[sòusiálədʒi]

ⓝ 사회학

This new course focuses on the sociology of the family unit — specifically how it changes over time.

12▶

alternative
[ɔːltə́:rnətiv]

alternatively ad 그 대신에

ⓐ 대체의, 대안의 ⓝ 대안

Vehicles must take an alternative route through the city because the bridge has collapsed.

---

07 어떤 단어의 의미를 이해할 수 없다면, 단서를 얻기 위해 문맥을 살펴봐라. 08 그 조사에 참여하고 싶다면, 늦어도 금요일까지는 이 이메일에 답변해 주십시오. 09 정부가 지진과 홍수 같은 자연재해에 대처할 절차를 수립할 것이다. 10 그녀는 40년이 넘게 소설가로 활동하면서 영국 맨 부커상을 포함한 몇 개의 문학상을 받았다. 11 이 새로운 과정은 가족 단위의 사회학, 특히 시간이 흐름에 따라 어떻게 변하는지에 초점을 맞추고 있다. 12 다리가 붕괴되었기 때문에 차량은 도시를 통과하는 대체 도로를 선택해야만 한다.

13 ▶

colleague
[káli:g]

ⓝ (같은 직종에 종사하는) 동료

One reason I have stayed at this company is because of my wonderful colleagues.

14 ▶

vacuum
[vǽkjuəm]

ⓥ 진공청소기로 청소하다 ⓝ 진공

This morning, your brother vacuumed under the furniture; now I'd like you to dust the shelves.

15 ▶

originate
[ərídʒənèit]

origin ⓝ 근원, 기원
origination ⓝ 시작; 기점

ⓥ 유래하다; 고안하다

Basketball is thought to have originated in Canada, but many sports fans in the U.S. dispute this claim.

16 ▶

habitat
[hǽbətæt]

ⓝ 서식지, 거주지

With woodland areas being cut down so quickly, many species of wildlife are losing their natural habitats.

17 ▶

exist
[igzíst]

existent ⓐ 존재하는
existence ⓝ 존재, 실재

ⓥ 존재하다

Despite attempts to eliminate it, poverty still exists in this otherwise wealthy country.

18 ▶

vast
[væst]

vastly ad 대단히, 엄청나게

ⓐ 방대한, 어마어마한

Investors who failed to see the stock market crash coming in 2008 lost vast amounts of money.

---

13 내가 이 회사에 머무는 한 가지 이유는 나의 훌륭한 동료 때문이다. **14** 오늘 아침 네 남동생이 가구 밑을 진공청소기로 청소했다. 이제 네가 선반 위의 먼지를 털었으면 한다. **15** 농구는 캐나다에서 유래한 것으로 생각되지만, 미국의 많은 스포츠 팬은 이 주장에 반박한다. **16** 숲 지역이 매우 빠르게 줄어들면서 많은 야생동물의 종들은 자신들의 자연 서식지를 잃어가고 있다. **17** 가난은 그것을 뿌리 뽑으려는 시도에도 불구하고 여전히 다른 면에서는 부유한 이 나라에 존재하고 있다. **18** 2008년에 주식 시장 붕괴가 도래할 것을 내다보지 못한 투자자들이 어마어마한 돈을 잃었다.

19 ▶

patch
[pætʃ]

ⓝ (주변과는 다른) 작은 부분, 조각

Drivers are warned to take extra care as there are lots of icy patches on the road this morning.

20 ▶

enable
[enéibl]

ⓥ 할 수 있게 하다, 가능하게 하다

The reason the Internet has become indispensable for most businesspeople is that it enables them to function more effectively.

21 ▶

wetland
[wétlæ̀nd]

ⓝ 습지

A plant common to wetlands, it grows quickly and blocks boating and irrigation routes.

22 ▶

throughout
[θru:àut]

prep ~동안 계속, 내내

Campus protests were common throughout the latter half of the 60s and into the early 70s.

23 ▶

eliminate
[ilímənèit]
elimination ⓝ 제거

ⓥ 제거하다

If you want to eliminate fridge odor, try common baking soda; it removes all sorts of organic smells.

24 ▶

threaten
[θrétn]
threatening ⓐ 협박하는

ⓥ 위협[협박]하다

The student council has threatened to resign unless its demands are met.

---

19 오늘 아침 도로 상에 얼음이 언 부분이 많기 때문에 운전자들은 각별한 주의가 요구된다. 20 인터넷이 대부분의 사업가들에게 필수불가결해진 이유는 인터넷으로 인해 더욱 효과적으로 일할 수 있게 되었기 때문이다. 21 습지대에 흔한 식물은 빠르게 자라고 보트 타기와 관개수로를 방해한다. 22 60년대 후반과 70년대 초반 내내 대학 내 시위가 흔했다. 23 냉장고 냄새를 제거하고 싶다면, 일반 베이킹 소다를 사용해 보십시오. 그것은 온갖 종류의 유기물 냄새를 없애줍니다. 24 학생위원회는 자신들의 요구가 관철되지 않으면 사임하겠다고 협박했다.

25▶

shrink
[ʃriŋk]

shrinkage ⓝ 줄어듦; 축소

ⓥ 줄어들다

If you wash that wool sweater in warm water, it will shrink to about half its original size.

26▶

consequence
[kánsikwèns]

consequent
ⓐ ~의 결과로 일어나는

ⓝ 결과; 영향

The consequences of poor building construction can be devastating for residents in a natural disaster.

27▶

conceal
[kənsíːl]

concealment ⓝ 숨김, 은폐

ⓥ 가리다, 감추다

This product conceals mild outbreaks of acne and other common skin blemishes.

28▶

preview
[príːvjùː]

ⓝ 예고편; 시사회; 미리 보기

Hurry or we'll be late; I love watching the previews before the movie starts.

29▶

review
[rivjúː]

ⓥ 검토하다 ⓝ 검토; 비평

The tax department will review your case, but to avoid penalties you should pay the amount due now.

30▶

masterpiece
[mǽstərpìːs]

ⓝ 걸작

The *Mona Lisa* is widely considered to be Leonardo da Vinci's masterpiece.

---

25 그 양모 스웨터를 더운물에서 빨면 그 크기가 원래 크기의 절반 정도로 줄어들 것이다. 26 건물 부실 공사의 결과는 자연재해 속에서 거주자들에게 치명적일 수 있다. 27 이 제품은 가볍게 난 여드름과 기타 일반 잡티들을 가려준다. 28 서둘러. 그렇지 않으면 우린 늦을 거야. 난 영화 시작 전에 예고편 보는 걸 정말 좋아한단 말이야. 29 세무서는 당신의 사례를 검토할 것입니다. 그러나 벌금을 내지 않으려면 현재 부과된 금액을 내야 합니다. 30 '모나리자'는 Leonardo da Vinci의 걸작으로 널리 간주된다.

31 ▶

labor
[léibər]

ⓝ 노동 ⓥ 일하다; 노력하다

Tending a small farm requires a lot of time and manual **labor**.

32 ▶

correct
[kərékt]

correction ⓝ 정정, 수정

ⓐ 옳은, 정확한 ⓥ 바로잡다

Only one **correct** answer per question is possible on the revised test.

After noticing several spelling mistakes, she **corrected** her essay with the help of a dictionary.

33 ▶

anatomy
[ənǽtəmi]

ⓝ (해부학적) 구조; 해부학

A correct and comprehensive understanding of animal **anatomy** is important to a veterinarian.

34 ▶

unjust
[ʌ́ndʒʌ́st]

ⓐ 부당한

Native groups have often experienced **unjust** treatment from those seeking to colonize their lands.

의외의 뜻을 가진 어휘

35 ▶

shoulder
[ʃóuldər]

ⓥ (책임, 잘못을) 떠맡다

Richard decided that as the head of customer service, he should **shoulder** the blame for the loss of customers.

> **Tips** shoulder를 '어깨'라는 뜻으로만 알고 있었다면 '(책임, 잘못을) 떠맡다'라는 뜻도 함께 알아두자!

---

31 작은 목장을 운영하려면 많은 시간과 육체노동이 요구된다. **32** 개정된 시험에서는 한 문제 당 하나의 정답만 가능하다. / 몇몇 철자 오류를 발견한 다음 그녀는 사전의 도움을 받아 자신의 수필을 바로잡았다. **33** 동물 해부에 관한 정확하고 포괄적인 이해는 수의사에게 중요하다. **34** 원주민 집단들은 종종 자신들의 땅을 식민지화하려는 자들로부터 부당한 대우를 경험했다. **35** Richard는 고객 서비스의 책임자로서 고객이 감소한 것에 대한 책임을 자신이 떠맡아야 한다고 결정했다.

접두어	en- '~ 되게 하다'

36▶

enrich
[enrítʃ]

ⓥ 풍요롭게 하다

The company boasts that it enriches all of its breakfast cereal products with extra vitamins and minerals.

37▶

enlighten
[enláitn]

enlightening
ⓐ 깨우치는, 계몽적인

ⓥ 깨우치다, 교화[계몽]하다

If you're still unclear after the tutorial, I will enlighten you as best I can.

38▶

encounter
[enkáuntər]

ⓥ 맞닥뜨리다, 마주하다

Rebel forces have encountered strong resistance in their attempt to retake the city.

혼동 어휘	

39▶

advent
[ǽdvent]

ⓝ 출현, 나타남

For some, the advent of smart phones has not been without security concerns.

40▶

advert
[ǽdvəːrt]

ⓝ 광고(= advertisement)

The caller who had seen our advert in the paper asked how much we wanted for our old car.

🔓 **36** 그 회사는 비타민과 미네랄로 자사의 모든 아침 식사용 제품의 영양이 풍부해졌다고 자랑한다. **37** 개별 지도 후에도 아직 확실히 이해가 안 된다면 내가 최선을 다해 설명해 줄게. **38** 반란 세력들은 도시를 탈환하려는 시도에서 완강한 저항과 맞닥뜨렸다. **39** 어떤 면에서는 스마트폰의 출현으로 보안에 대한 우려가 있어왔다. **40** 전화를 건 사람은 신문에서 우리의 광고를 보고, 우리가 중고차 가격으로 얼마를 원하는지 알고 싶어 했다.

A 다음 영어를 우리말로, 우리말을 영어로 쓰시오.

1	advent	_____	11 작은 부분, 조각	_____
2	advert	_____	12 검토(하다); 비평	_____
3	alternative	_____	13 노동; 일하다; 노력하다	_____
4	anatomy	_____	14 문학의, 문학적인	_____
5	colleague	_____	15 사회학	_____
6	consequence	_____	16 습지	_____
7	context	_____	17 예고편; 시사회; 미리 보기	_____
8	encyclopedia	_____	18 위협[협박]하다	_____
9	enrich	_____	19 진공	_____
10	habitat	_____	20 풍요롭게 하다	_____

B 다음 빈칸에 알맞은 말을 쓰시오.

1	correct	ⓝ _____	5 respond	ⓝ _____
2	vast	ⓐⓓ _____	6 exist	ⓝ _____
3	shrink	ⓝ _____	7 procedure	ⓥ _____
4	conceal	ⓝ _____	8 originate	ⓝ _____

C 다음 빈칸에 들어갈 알맞은 말을 보기 에서 고르시오.

보기	vary	enable	habitat	throughout	vast

1 _____ diversity refers to the variety of places where life exists.

2 Television picture tubes _____ viewers to see the image that is formed inside the tube.

3 Yet the _____ majority of Americans remain stubbornly monolingual.

4 Moles are dark spots on human skin. They can _____ in color from light to dark brown or black.

5 The only thing students should be required to do is to study a broad range of subjects _____ middle and high school.

Day 19

01

liquid
[líkwid]

ⓝ 액체 ⓐ 액체 형태의

Human newborn infants show a strong preference for sweet liquids.

02

material
[mətí(:)əriəl]

ⓝ 자료, 데이터; (물건의) 재료; (작품의) 소재; 직물

Basic scientific research provides the raw materials that technology and engineering use to solve problems.

03

realize
[rí(:)əlàiz]

ⓥ 깨닫다, 실현하다

You'll realize you did the right thing.

04

reflect
[riflékt]
reflection ⓝ 반영; 반사

ⓥ 반영하다, 나타내다; 반사하다

Maps reflect the world views of their makers.

05

routine
[ru:tí:n]

ⓝ 틀에 박힌 일상

I usually buy the same brand of shoes, eat the same breakfast, and stick to routines.

06

incredible
[inkrédəbl]
incredibly ⓐ𝐝 엄청나게

ⓐ 믿기 어려운; 놀라운

It was an incredible stroke of good luck running into you today!

---

01 인간의 갓난아기는 단 음료에 대한 강한 선호를 보인다. 02 기초 과학 연구는 기술과 공학에서 문제점을 해결하기 위해서 사용하는 원료를 제공한다. 03 너는 네가 옳은 일을 했다는 것을 깨닫게 될 것이다. 04 지도는 제작자의 세계관을 반영한다. 05 나는 보통 똑같은 상표의 신발을 사고, 똑같은 아침을 먹으며 판에 박힌 일상을 고수한다. 06 널 오늘 우연히 만난 것은 믿기 어려운 뜻밖의 행운이야!

07 ▶

environment
[inváiərənmənt]

environmental
ⓐ 환경의, 환경과 관련된

ⓝ 환경

Some believe that environment is the single most important influence in a child's life.

08 ▶

contribute
[kəntríbjut]

contribution ⓝ 기여; 기부(금)

ⓥ 기여하다; ~의 원인이 되다

Workers contribute to state and private pensions so they can live a comfortable life in retirement.

09 ▶

dense
[dens]

density ⓝ 밀도
densely ⓐⓓ 빽빽이

ⓐ 난해한; 밀집한; 짙은

The reading was dense; it contained a lot of technical terms that I couldn't understand.

10 ▶

structure
[strʌ́ktʃər]

structural ⓐ 구조적인

ⓝ 구조; 조직; 건물 ⓥ 구성하다, 조직하다

The structure was designed to support more than a thousand athletes training around the clock.

11 ▶

resist
[rizíst]

resistible ⓐ 저항할 수 있는
resistance ⓝ 저항(력)

ⓥ 저항하다; 견디다

But there are other diseases that our bodies cannot successfully resist on their own.

12 ▶

resistant
[rizístənt]

ⓐ ~에 강한, 저항하는

Scientists are busy developing disease-resistant varieties of fruits and vegetables for the developing world.

---

07 어떤 사람들은 환경이 아이의 삶에서 유일무이하게 가장 중요한 영향을 준다고 믿는다. **08** 근로자들은 국가 연금 및 개인연금에 기여하므로 은퇴 시 편안한 삶을 살 수 있다. **09** 그것은 읽기가 난해했다. 그것은 내가 이해하지 못하는 수많은 전문 용어를 담고 있었다. **10** 그 건물은 온종일 운동하는 천 명이 넘는 운동선수들을 지원하기 위해 설계되었다. **11** 그러나 우리 몸이 스스로 잘 저항하지 못하는 다른 질병도 있다. **12** 과학자들은 개도국을 위해 질병에 강한 다양한 과일과 채소를 개발하느라 분주하다.

13▶

invade
[invéid]

invasion ⓝ 침입, 침략
invader ⓝ 침략자

ⓥ 침입하다

Villagers from the south invaded their neighbors to the north in a surprise attack early yesterday morning.

14▶

potential
[poutén∫əl]

potentially 〔ad〕 잠재적으로

ⓐ 잠재적인 ⓝ 가능성, 잠재력

Travelers should be alerted to potential dangers before they make holiday plans.

15▶

decay
[dikéi]

ⓥ (시체, 치아 등이) 썩다; (체계 등이) 퇴화하다

Your teeth will decay quickly if you do not brush them after eating sweets like chocolate.

16▶

harsh
[hɑ:r∫]

ⓐ 가혹한, 혹독한

Several journalists interviewed for this report complained of harsh treatment by the authorities.

17▶

surround
[səráund]

surrounding
ⓐ 인근의, 주위의

ⓥ 둘러싸다

Photographers finally surrounded the star as she tried to quickly make her way through the crowd.

---

13 어제 아침 일찍 남쪽 지역의 마을 사람들이 북쪽 지역의 이웃을 기습적으로 침입했다. 14 여행자들은 휴가 계획을 세우기 전에 잠재적인 위험에 주의해야 한다. 15 초콜릿 같은 단 음식을 먹은 다음 이를 닦지 않으면 치아가 빨리 썩을 것이다. 16 이 조사를 위해 인터뷰에 응한 몇몇 언론인들은 당국의 가혹한 처우에 대해 불평했다. 17 그 스타가 군중 사이를 재빨리 뚫고 나가려 하던 차에, 사진기자들이 결국 그녀를 둘러쌌다.

18▶

vital
[váitl]

vitalize ⓥ 생기를 불어넣다
vitality ⓝ 활력

ⓐ 필수적인

Another **vital** factor is increasing one's responsiveness to the markets by providing products suited for the local communities that make up the market.

19▶

sturdy
[stə́:rdi]

ⓐ 튼튼한, 힘센

Before you attempt to climb a mountain, make sure you have a pair of **sturdy** hiking boots.

20▶

diagnose
[dáiəgnòus]

diagnosis ⓝ 진단

ⓥ (질병의 원인을) 진단하다

After giving her patient a thorough medical exam, the doctor **diagnosed** the problem.

21▶

gender
[dʒéndər]

ⓝ 성(性), 성별

It is difficult for non-experts to determine the **gender** of some species of rare reptiles.

22▶

rural
[rúərəl]

ⓐ 지방의, 시골의

I grew up in a **rural** area with plenty of fresh air and places to play.

23▶

urban
[ə́:rbən]

ⓐ 도시의

Some say an **urban** environment is not the best setting to raise young children.

---

18 또 다른 필수적인 요소는 시장을 구성하는 지역 사회에 꼭 맞는 제품을 제공함으로써 시장에 대한 사람들의 대응을 증가시키는 것이다. **19** 산을 오르려고 하기 전에 튼튼한 하이킹 부츠를 가지고 있는지 확인하라. **20** 의사는 환자를 철저하게 검진하고 나서 문제에 대해 진단했다. **21** 비전문가가 희귀 파충류 일부 종의 성별을 판단하기는 어렵다. **22** 나는 신선한 공기를 듬뿍 마시고 놀 장소가 많은 시골 지역에서 자랐다. **23** 몇몇 사람들은 도시 환경이 어린 자녀들을 키우기에 최고의 장소는 아니라고 말한다.

24 ▶

attack
[ətǽk]

ⓥ 공격하다

The shark attacked its prey with such ferocity that even the trainer was taken by surprise.

25 ▶

approach
[əpróutʃ]

ⓥ 접근하다, 다가가다 ⓝ 접근법; 다가옴

As the day-hikers approached the waterfall, they were reminded to take out their cameras.

26 ▶

miserable
[mízərəbl]

miserably
ⓐd 비참하게, 초라하게

ⓐ (날씨가) 고약한; 비참한

The weather is miserable at that time of year; perhaps you should make other travel plans.

27 ▶

particular
[pərtíkjələr]

particularly ⓐd 특히

ⓐ 특별한; 특정한

It's not that I had any particular plans for that pencil, but I didn't want to be unprepared.

28 ▶

relevant
[réləvənt]

relevance ⓝ 타당성, 적절

ⓐ 적절한; 관련 있는

The young executive impressed his superiors by making a relevant point about the company's financial strategy.

29 ▶

absorb
[əbsɔ́:rb]

absorption ⓝ 흡수

ⓥ 흡수하다

These cleaning pads absorb up to thirty percent more spillage than other brands.

---

24 상어가 조련사도 깜짝 놀랄 만큼 잔인하게 먹잇감을 공격했다. **25** 폭포에 접근한 도보 여행자들은 카메라를 꺼낼 생각을 해냈다. **26** 일 년 중 그맘때는 날씨가 고약하므로, 아마도 다른 여행 계획을 세워야 한다. **27** 내가 그 연필을 가지고 특별하게 할 일이 있는 것은 아니었지만, 준비되지 않은 채로 있고 싶지 않았다. **28** 그 젊은 중역은 회사의 재정 전략에 대한 적절한 주장을 해서 상사들에게 깊은 인상을 남겼다. **29** 이 청소포는 다른 제품에 비해 엎지른 것을 30%까지 더 흡수한다.

30 ▶

filter
[fíltər]

ⓥ 여과하다, 거르다

The earth's ozone layer is important because it filters harmful ultraviolet radiation.

31 ▶

separate
[sépərèit]

separation ⓝ 분리, 구분
separately ⓐⓓ 따로

ⓥ 분리하다, 나누다 ⓐ 분리된; 서로 다른

Before you have a garage sale, call an antique dealer to help you separate the valuable from the worthless junk.

32 ▶

mistaken
[mistéikən]

mistakenly ⓐⓓ 실수로

ⓐ 잘못 알고 있는

I'm sorry, but I think you're mistaken; I clearly remember leaving my bag here on the shelf.

33 ▶

supply
[səplái]

ⓥ 공급하다 ⓝ 공급, 제공

Mills Farm supplies all of the restaurants in town with fresh produce daily.

34 ▶

demand
[dimǽnd]

ⓥ 요구하다 ⓝ 요구; 수요

This is a very difficult math problem; it demands a lot of concentration.

35 ▶

resource
[rí:sɔːrs]

ⓝ 자원

Before the firm can expand into the global marketplace, it needs to secure additional financial resources.

---

30 지구의 오존층은 해로운 방사선을 걸러내기 때문에 중요하다. **31** 중고 가정용품 염가판매를 하기 전에 골동품 판매상을 불러서 가치 있는 것과 쓸모없는 쓰레기를 분리하는 것을 돕게 하라. **32** 미안하지만 나는 당신이 잘못 알고 있다고 생각해요. 내가 여기 선반 위에 내 가방을 올려놓았던 것을 분명히 기억해요. **33** Mills Farm은 도시에 있는 모든 음식점에 신선한 농산물을 매일 공급한다. **34** 이것은 매우 어려운 수학문제로 많은 집중력을 요한다. **35** 그 기업은 세계 시장으로 사세를 확장하기 전에 추가로 재정 자원을 확보할 필요가 있다.

접두어	en- '~되게 하다'

36 ▶

endanger
[endéindʒər]

ⓥ 위험에 빠뜨리다

You must believe that I would never intentionally do anything to endanger the lives of the children.

37 ▶

enlarge
[enlá:rdʒ]

enlargement ⓝ 확대, 확장

ⓥ 확대[확장]하다

You cannot enlarge the photo any further without making it too blurry to recognize.

38 ▶

encourage
[enká:ridʒ]

ⓥ 격려하다, 자극[고무]하다

The freshman's tutor encouraged him to read widely and take extensive notes during class lectures.

혼동 어휘	

39 ▶

except
[iksépt]

prep ~을 제외하고

Many years ago, psychologists performed an experiment in which they put a number of people in a room, alone except for a ring toss set.

40 ▶

accept
[əksépt]

acceptable ⓐ 받아들여지는
acceptance ⓝ 수락, 승인

ⓥ 받아들이다, 수락하다

It is almost impossible to find a store these days that does not accept credit cards.

🔓 **36** 너는 내가 그 아이들의 생명을 위협하려고 일부러 무슨 일을 하려고 한 적이 없다는 것을 믿어야 한다. **37** 그 사진을 더 확대하면 너무 흐릿해져서 인식하기가 불가능하다. **38** 그 대학 1학년생의 지도 교수는 그에게 폭넓게 읽고 강의 시간에 필기를 많이 하라고 독려했다. **39** 수년 전에 심리학자들이 많은 사람을 고리 던지기 기구를 제외하고 아무것도 없는 방에 넣는 실험을 했다. **40** 요즘 신용 카드를 받지 않는 가게를 찾기는 거의 불가능하다.

A 다음 영어를 우리말로, 우리말을 영어로 쓰시오.

1 contribute _____
2 diagnose _____
3 environment _____
4 invade _____
5 realize _____
6 resistant _____
7 potential _____
8 structure _____
9 sturdy _____
10 surround _____

11 요구하다; 요구, 수요 _____
12 비참한; (날씨가) 고약한 _____
13 성(性), 성별 _____
14 썩다; 퇴화하다 _____
15 여과하다, 거르다 _____
16 위험에 빠뜨리다 _____
17 자원 _____
18 잘못 알고 있는 _____
19 특별한; 특정한 _____
20 흡수하다 _____

B 다음 빈칸에 알맞은 말을 쓰시오.

1 reflect **n** _____
2 vital **n** _____
3 incredible **ad** _____
4 dense **ad** _____

5 enlarge **n** _____
6 relevant **n** _____
7 mistaken **ad** _____
8 accept **a** _____

C 다음 빈칸에 들어갈 알맞은 말을 보기에서 고르시오.

보기   resists   attack   vital   separate   particular

1 My coworker usually _____ any attempt to celebrate her birthday in a special way.

2 It is _____ that the donor's blood be the same type as the organ recipient's.

3 So the leopard began to _____ dogs and cattle in the village.

4 I'm looking for a _____ style of jacket, one that isn't too flashy or trendy.

5 The dogs were kept in _____ cages so they wouldn't fight with one another.

01▶

submit
[səbmít]
submission ⓝ 제출

ⓥ 제출하다

Please complete the form and submit it online.

02▶

leak
[liːk]

ⓥ 새게 하다 ⓝ 누출, 새는 곳

About 1,000 tons of oil leaked into the sea.

03▶

declare
[diklέər]
declaration ⓝ 선언, 공포

ⓥ 선언하다, 공표하다; 판결하다

The government will declare a state of emergency.

04▶

expire
[ikspáiər]
expiration ⓝ 만료

ⓥ 만료되다

My passport expired last week.

05▶

domestic
[dəméstik]

ⓐ 국내의, 집안의

Over the past 30 years, the gross domestic product has tripled.

06▶

surgery
[sə́ːrdʒəri]

ⓝ 수술

When you have surgery, you will be given an anaesthetic drug.

07▶

beyond
[biʝánd]

prep ~너머, ~지나

The best place to practice your snowboarding is just beyond the starter hill and to the right.

01 양식을 작성해서 온라인으로 제출해 주세요. **02** 약 1,000톤의 기름이 바다로 유출되었다. **03** 정부는 비상 사태를 선포할 것이다. **04** 내 여권은 지난주 만료되었다. **05** 지난 30년 동안 국내 총생산은 3배 증가했다. **06** 수술을 받을 때 마취약을 맞게 된다. **07** 스노보드를 연습할 가장 좋은 장소는 초급자용 언덕 바로 너머 오른쪽이다.

08

genetics
[dʒənétiks]

ⓝ 유전학

Scientists working in the field of genetics make many new discoveries about the human body every year.

09

unlock
[ʌnlák]

ⓥ 열다; (비밀이) 드러나다

You may be able to unlock a frozen car door by spraying some oil into the mechanism.

10

knowledge
[nálidʒ]
know ⓥ 알다

ⓝ 지식

Our guide has an intimate knowledge of Rome, where she has lived for 20 years.

11

multiple
[mʌ́ltəpl]

ⓐ 많은, 다양한

Although the skier suffered multiple injuries in the fall, he is expected to make a full recovery.

12

several
[sévərəl]

ⓐ 몇몇의

Several young actors auditioned for the part, but we were unable to find a suitable candidate.

13

recall
[rikɔ́ːl]

ⓥ 회상하다; 소환하다

I recall having eaten at this restaurant before, but I can't remember who with.

08 유전학 분야에서 일하는 과학자들은 매년 인체에 대해 새로운 사실을 발견한다. 09 기계에 기름을 약간 뿌리면 언 자동차 문을 열 수 있을지 모른다. 10 우리 가이드는 자신이 20년 동안 살고 있는 로마에 조예가 깊은 지식이 있다. 11 스키를 탄 사람은 떨어지면서 여러 군데 상처를 입었지만 완전하게 회복할 것으로 예상된다. 12 여러 젊은 배우가 그 역을 맡기 위해 오디션을 치렀지만, 우리는 적당한 지원자를 찾을 수 없었다. 13 예전에 이 음식점에서 식사했던 기억은 나지만 누구와 식사를 했는지는 생각나지 않는다.

14▶

nerve
[nəːrv]
nervous @ 불안한; 신경질적인

ⓝ 용기; 불안; 긴장; 신경

It takes a lot of nerve to be a successful search-and-rescue worker.

15▶

strategy
[strǽtədʒi]

ⓝ 전략

Several different strategies for organizing your time are presented in the author's latest book.

16▶

argue
[áːrgjuː]
argument ⓝ 말다툼, 논쟁

ⓥ 다투다; 주장하다; 입증하다

They even argue over which film to see; I've never seen a less compatible couple.

17▶

appropriate
[əpróuprièit]
appropriately ad 적당하게

ⓐ 적절한

I didn't think it was appropriate for her to scold the children like that in public.

18▶

describe
[diskráib]
description ⓝ 서술, 묘사
descriptive ⓐ 서술[묘사]하는

ⓥ 묘사[설명]하다, 말하다

Her previous teacher described her as an outgoing, positive influence in class.

19▶

conflict
[kánflikt]

ⓝ 갈등 ⓥ 상충하다

Israel's conflict with the Palestinians dates back more than half a century.

---

14 성공한 수색 구조대원이 되려면 대단한 용기가 필요하다. 15 시간을 계획하는 다른 전략 몇 가지가 저자의 최근 책에 소개되어 있다. 16 그들은 어떤 영화를 볼지를 놓고도 말다툼을 벌인다. 그들은 내가 본 중에서 가장 사이가 좋지 않은 커플이다. 17 나는 사람들 앞에서 자녀를 그렇게 야단치는 그녀의 행동이 적절하지 않다고 생각했다. 18 그녀의 예전 교사는 그녀가 학급에서 사교적이고 긍정적인 영향을 미친다고 말했다. 19 팔레스타인과 이스라엘의 갈등은 반세기 이상으로 거슬러 올라간다.

20 ▶

accurate
[ǽkjərit]

accuracy ⓝ 정확(도)
accurately (ad) 정확히

ⓐ 정확한

The government has no accurate knowledge of the cost of military operations in the fight against terrorism.

21 ▶

attempt
[ətémpt]

ⓥ 시도[노력]하다 ⓝ 시도, 노력

A few hundred teens attempted to break a Guinness World Record for the loudest outdoor cheer.

22 ▶

inform
[infɔ́:rm]

information ⓝ 정보
informative ⓐ 유익한

ⓥ 알리다

The company said that it would inform successful applicants when a decision had been reached.

23 ▶

definite
[défənit]

define ⓥ 정의[규명]하다
definitely (ad) 확실히, 분명히

ⓐ 확실한, 분명한

Competing against professionally trained athletes is a definite disadvantage to amateurs.

24 ▶

trick
[trik]

tricky ⓐ 곤란한

ⓥ 속임수를 쓰다 ⓝ 속임수; 요령

The boy tricked his classmates into believing that class had been canceled.

25 ▶

discipline
[dísəplin]

disciplinary ⓐ 징계의

ⓝ 훈련; 징계; 훈육 ⓥ 징계[훈육]하다

Pets will respond to their owners best when the discipline given is consistent.

20 정부는 테러리즘에 대항할 때 드는 군사작전 비용에 대해 정확한 지식을 갖고 있지 않다. **21** 수백 명에 이르는 십 대 청소년들이 야외에서 가장 시끄럽게 함성을 지르는 것으로 기네스 세계 신기록을 깨려고 시도했다. **22** 그 회사는 결정이 되면 합격한 지원자에게 알려 주겠다고 말했다. **23** 전문적으로 훈련을 받은 운동선수와 경쟁하는 것은, 아마추어에게는 분명히 불리하다. **24** 그 소년은 반 친구들을 속여서 수업이 취소되었다고 믿게 했다. **26** 애완동물은 훈련이 일관성 있을 때 주인에게 가장 잘 반응할 것이다.

26▶

influence
[ínfluəns]
influential ⓐ 영향력 있는

Ⓥ 영향을 미치다 ⓝ 영향(력)

The wonderful weather conditions influenced my decision to move to this part of the country.

27▶

promote
[prəmóut]
promotion ⓝ 승진; 홍보

Ⓥ 촉진하다; 승진시키다; 홍보하다

Getting sufficient rest and engaging in regular exercise will promote your general health.

28▶

split
[split]

Ⓥ 나뉘다, 분열되다 ⓝ 분열, 분할

I've brought more than I can eat; let's split my lunch in two and share.

29▶

characterize
[kǽriktəràiz]
character ⓝ 성격; 특징

Ⓥ 특징짓다

How would you characterize your dog's behavior before she bit your friend?

30▶

evaluate
[ivǽljuèit]
evaluation ⓝ 평가

Ⓥ 평가하다

The essays were evaluated against very strict criteria set by the teachers at the institute.

31▶

satisfying
[sǽtisfàiiŋ]
satisfy Ⓥ 만족시키다
satisfaction ⓝ 만족

ⓐ 만족스러운

The meal was delicious, but it wasn't very satisfying; I'm still a little hungry.

---

26 멋진 날씨가 나라의 이쪽 지역으로 이사를 오겠다는 나의 결정에 영향을 미쳤다. 27 충분히 휴식을 취하고 규칙적으로 운동하면 건강이 전반적으로 좋아질 것이다. 28 나는 내가 먹을 수 있는 양보다 더 많이 가져왔어. 내 점심을 둘로 나눠서 같이 먹자. 29 당신의 개가 당신의 친구를 물기 전에 보이는 행동을 어떻게 특징지을 수 있을까요? 30 그 수필들은 학회의 교사들이 세운 매우 엄격한 기준으로 평가되었다. 31 식사는 맛있었지만 그다지 만족스럽지 않았다. 나는 여전히 배가 약간 고프다.

32 ►

hunger
[hʌ́ŋgər]

hungry ⓐ 배고픈

ⓝ 배고픔, 굶주림; 갈망

News reports said the lost hikers finally collapsed from hunger and thirst on the third day.

33 ►

increase
[inkríːs]

increasing ⓐ 증가하는
increasingly ad 점점 더

ⓥ 증가하다 ⓝ 증가

The company has decided to increase production of its newest, most popular model.

34 ►

decrease
[díːkriːs]

decreasing ⓐ 감소하는
decreasingly
ad 점점 더 줄어

ⓥ 감소하다 ⓝ 감소

Total unemployment has decreased in the past year, but youth unemployment remains high.

35 ►

remove
[rimúːv]

removal ⓝ 제거

ⓥ 지우다; 제거하다

The new law stipulates that citizens must remove any veil covering the face before voting.

36 ►

typical
[típikəl]

typicality ⓝ 전형적임
typically ad 일반적으로

ⓐ 전형적인, 늘 하는 행동의

Happiness is a typical first reaction after receiving praise or unexpected good news.

32 뉴스 보도에 따르면 길을 잃은 도보 여행자들이 셋째 날에 결국 배고픔과 갈증으로 쓰러졌다. **33** 그 기업은 가장 인기가 많은 최신 모델의 생산을 늘리기로 결정했다. **34** 지난해 전체 실업은 감소했지만, 청년 실업은 여전히 높다. **35** 새 법률은 시민들이 투표하기 전에 얼굴을 가리고 있는 베일을 벗어야 한다고 명기하고 있다. **36** 행복은 칭찬이나 예상하지 못했던 좋은 소식을 들었을 때 맨 처음 나타나는 전형적인 반응이다.

혼동 어휘

37▶

conference
[kánfərəns]

confer ⓥ 상의하다

ⓝ 회의, 회담

The World Health Organization held its annual conference in New York this year.

38▶

reference
[réfərəns]

refer ⓥ 참조[언급]하다

ⓝ 참조; 언급; 인용 문헌

The ratios were calculated by reference to the most recent nationwide census.

39▶

interference
[ìntərfíərəns]

interfere ⓥ 간섭[개입]하다

ⓝ (원치 않은) 간섭, 개입, 방해

I left the company because I had to put up with constant interference from my boss.

다의어

40▶

bark
[bɑːrk]

ⓥ (개가) 짖다

Villagers heard a deer barking in the distance, but they were not the only ones to hear it.

ⓝ 나무껍질

Bark provides the inner wood of a tree with protection from extreme temperatures as well as natural predators such as bugs.

37 세계 보건기구는 올해 뉴욕에서 연례 회의를 개최했다. **38** 비율은 가장 최근에 실시한 전국 인구조사를 참조해서 산정되었다. **39** 나는 상사의 끊임없는 간섭을 견뎌내야 했기 때문에 회사를 떠났다. **40** 마을 사람들은 멀리서 사슴이 우는 소리를 들었는데, 그들이 그 소리를 들은 유일한 사람들은 아니었다. / 나무껍질은 벌레 같은 천적뿐만 아니라 극단적인 온도로부터 나무의 안쪽을 보호해준다.

A 다음 영어를 우리말로, 우리말을 영어로 쓰시오.

1	argue	_____	11 몇몇의	_____
2	beyond	_____	12 만료되다	_____
3	influence	_____	13 시도[노력](하다)	_____
4	interference	_____	14 알리다	_____
5	submit	_____	15 유전학	_____
6	multiple	_____	16 전략	_____
7	nerve	_____	17 지우다; 제거하다	_____
8	split	_____	18 징계[훈육](하다)	_____
9	trick	_____	19 특징짓다	_____
10	typical	_____	20 회의, 회담	_____

B 다음 빈칸에 알맞은 말을 쓰시오.

1	definite	ⓥ	_____	5	knowledge	ⓥ	_____
2	appropriate	ad	_____	6	nerve	ⓐ	_____
3	satisfying	ⓝ	_____	7	describe	ⓝ	_____
4	increase	ad	_____	8	accurate	ⓝ	_____

C 다음 빈칸에 들어갈 알맞은 말을 보기 에서 고르시오.

보기	knowledge	accurate	bark	describes	promoted

1 Your skills led to your being _____ to executive secretary in 1992.

2 Guard dogs are trained to _____ at strangers as a warning sign to their owners.

3 _____ of writing was confined to professionals who worked for the king or temple.

4 Aristotle's theory may be bad physics, but it _____ reasonably well what we can see in the real world.

5 In 1761, Englishman John Harrison perfected a clock that worked at sea and put _____ time in a navigator's pocket.

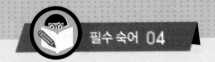
in

01 ▶

get in

들어가다

There were a lot of people there waiting to get in.

02 ▶

fit in

어울리다

Johnny doesn't fit in with any group.

03 ▶

turn in

돌려주다, 반납하다

The room attendant found a set of keys left by the hotel guest and turned them in to the secretary at the front desk.

04 ▶

take part in

참여하다, 가담하다

Most people joined, but a few who were unable to swim chose not to take part in the game of water polo.

out

05 ▶

break out

(전쟁이) 발발하다; (화재가) 발생하다

Police reported that they suspect it was no accident that fire broke out in the lobby of the Intercontinental Hotel.

06 ▶

drop out

(참여하던 것에서) 빠지다

One is constantly learning new facts, and old ones have to drop out to make way for them.

07 ▶

go out of business

파산하다

Seven subprime lenders have gone out of business in the past three months.

08 ▶

run out of

~을 다 써 버리다, ~을 바닥내다

Supermarkets across the country have run out of basic necessities such as eggs, cooking oil, and milk.

01 거기에 많은 사람들이 들어가기 위해 기다리고 있었다. **02** Johnny는 어떤 그룹에서도 잘 어울리지 못한다. **03** 객실 관리인은 호텔 손님이 남겨 둔 열쇠 꾸러미를 발견하고 프런트의 안내원에게 반납했다. **04** 대부분의 사람이 수구(水球)에 참여했으나 수영을 못하는 소수의 사람은 참여하지 않기로 했다. **05** 경찰은 인터콘티넨탈 호텔 로비에서 발생한 화재는 우연 때문이 아니라는 의심이 간다고 보고했다. **06** 사람은 계속해서 새로운 사실을 배우고, 오래된 사실은 새로운 것에 자리를 내주기 위해 빠져야 한다. **07** 지난 3개월 간 7개의 서브프라임 대출 기관들이 파산했다. **08** 전국의 슈퍼마켓에서 계란, 기름, 우유 같은 생필품이 동이 났다.

Day 21 ~ 25

수능 빈출 어휘 ☑CHECK   앞으로 학습할 어휘 중 알고 있는 단어가 있는지 먼저 체크해 보세요.

☐ grab	☐ appeal	☐ industry	☐ remain
☐ investigate	☐ advise	☐ facility	☐ legal
☐ predict	☐ infant	☐ positive	☐ involve
☐ develop	☐ interrupt	☐ react	☐ measure
☐ defect	☐ attitude	☐ pause	☐ decline

01▶

election
[ilékʃən]
elect ⓥ 선출하다

ⓝ 선거

When the election day came, Jim found that his bicycle had a flat tire.

02▶

grab
[græb]

ⓥ 움켜잡다, 붙잡다

Shane stretched out his arm and was about to grab a cup.

03▶

alert
[alert]

ⓥ 경보를 발하다 ⓐ 민첩한; 경계하는 ⓝ 경계 태세

An incident in Japan in 2011 alerted the world to the potential problems of radioactive contamination.

04▶

beneficiary
[bènəfíʃièri]

ⓝ 수혜자

In reality the beneficiaries are more likely to be publishing companies.

05▶

celebrity
[səlébrəti]

ⓝ 인기도, 명성; 유명 인사

In the instability of American democracy, fame would be dependent on celebrity.

06▶

apparent
[əpǽrənt]
apparently ad 보아 하니, 분명

ⓐ 명백한, 분명한

It's apparent to me now that I made the wrong choice; I should have listened to your advice.

---

01 선거일이 다가 왔을 때 Jim은 자신의 자전거가 펑크가 난 것을 알았다. 02 Shane은 팔을 뻗어서 컵 하나를 막 움켜 쥐려고 했다. 03 2011년에 일본에서의 한 사건이 방사능 오염의 잠재적 문제에 대해 전 세계에 경종을 울렸다. 04 실제로 수혜자는 출판사가 될 확률이 더 높다. 05 미국 민주주의의 불안정 속에 명성은 인기도에 의해 좌우될 것이었다. 06 내가 잘못된 선택을 했다는 사실이 이제 분명해졌다.

07▶

appeal
[əpíːl]

ⓥ 호소하다; 관심을 끌다 ⓝ 호소; 매력

The prime minister appealed to the public for calm
following the deadly earthquake.

08▶

melt
[melt]

ⓥ 녹다

If you leave your dessert on top of the table like that, it's
going to melt.

09▶

primitive
[prímətiv]

ⓐ 원시적인

Some so-called primitive cultures still exist in the world
— for example, in regions of South America.

10▶

imitate
[ímitèit]
imitation ⓝ 모방; 모조품

ⓥ 모방하다, 흉내 내다

Birds are able to imitate people's speech, but that doesn't
mean they can "talk."

11▶

cultivate
[kʌ́ltəvèit]
cultivation ⓝ 경작, 재배

ⓥ 가꾸다, 경작하다, 재배하다

She cultivated an image as a tough, but fair, high school
teacher.

12▶

harvest
[háːrvist]

ⓝ 추수(기); 수확(량)

With the harvest finished, agricultural workers around the
country took some time off.

07 국무총리는 치명적인 지진이 발생하고 나서 사람들에게 침착하라고 호소했다. **08** 디저트를 그렇게 탁자 위에 놓아두면 녹을 것이다. **09** 소위 원시 문화라고 불리는 것의 일부가 세계에, 예를 들어 남아메리카 지역에 여전히 존재한다. **10** 새는 사람의 말을 흉내 낼 수 있지만 그렇다고 해서 '말'을 할 수 있다는 뜻은 아니다. **11** 그녀는 엄격하지만 공정한 고등학교 교사로서의 이미지를 가꿨다. **12** 전국의 농부들이 추수가 끝나고 얼마간의 휴식기를 가졌다.

13 ▶

industry
[índəstri]

industrial ⓐ 산업의
industrialize ⓥ 산업화하다

ⓝ 산업

The government is trying to attract industry to the area by lowering corporate tax rates.

---

14 ▶

owe
[ou]

ⓥ 빚지다, 신세를 지다, ~ 덕분이다

If you keep spending money so freely, soon you'll owe more money than you earn.

---

15 ▶

debt
[det]

ⓝ 빚, 신세

World governments are trying to reduce debt now that the recession has ended.

---

16 ▶

contemporary
[kəntémpərèri]

ⓐ 현대의, 동시대의 ⓝ 동년배

I like looking at contemporary art, but it's often very difficult for me to understand.

---

17 ▶

offspring
[ɔ́(:)fsprìŋ]

ⓝ 자식, (동물의) 새끼

Birds push their young offspring out of the nest in an effort to get them to fly.

---

18 ▶

imaginary
[imǽdʒənèri]

imagine ⓥ 상상하다, 그리다

ⓐ 상상의, 가상의

Fairy tales are always set in imaginary worlds; that's part of their appeal to children.

🔓 **13** 정부는 기업 세율을 낮춤으로써 그 지역에 산업을 유치하려 애쓰고 있다. **14** 돈을 계속 그렇게 펑펑 쓰면 조만간 버는 것보다 더 많이 빚지게 될 것이다. **15** 세계 정부는 불경기가 끝났으므로 부채를 줄이려 노력하고 있다. **16** 나는 현대 예술작품 감상하기를 좋아하지만, 이해하기 어려울 때가 종종 있다. **17** 새들은 새끼를 날게 하려고 둥지에서 밀어낸다. **18** 동화는 언제나 상상의 세계를 배경으로 한다. 이것이 아이들의 마음을 끄는 점이다.

19▶

identical
[aidéntikəl]

identity ⓝ 유사성
identically ⓐⓓ 꼭 같게

ⓐ 똑같은, 동일한

Many of the buildings in an apartment complex look identical from the outside.

20▶

preferable
[préfərəbl]

prefer ⓥ 선호하다

ⓐ 더 좋은, 더 나은

Staying home alone is preferable to going out with someone I don't like very much.

21▶

overlook
[òuvərlúk]

ⓥ 간과하다; 내려다보다

There's one key fact that you've overlooked: no one here is trained to operate that equipment.

22▶

harmonious
[hɑːrmóuniəs]

harmony ⓝ 조화, 화합
harmoniously ⓐⓓ 조화롭게

ⓐ 조화로운

The two families have a harmonious relationship, so they often take vacations together.

23▶

economical
[ìːkənάmikəl]

economy ⓝ 경제; 절약

ⓐ 경제적인, 실속 있는

It would be more economical to take the subway to school than a taxi.

24▶

political
[pálitikəl]

politics ⓝ 정치

ⓐ 정치적인

My father is a political reporter for a national newspaper, so he knows many people in government.

---

19 아파트 단지에 있는 많은 건물은 밖에서 보면 똑같아 보인다. **20** 내가 그다지 좋아하지 않는 사람과 외출하기보다는 집에 혼자 있는 편이 더 낫다. **21** 당신이 간과하는 중요한 사실이 하나 있다. 여기에 있는 그 누구도 저 장비를 작동하는 훈련을 받지 못했다는 것이다. **22** 두 가족은 조화로운 관계를 맺고 있어서 자주 휴가를 함께 보낸다. **23** 학교에 갈 때 택시보다 지하철을 타는 편이 더 경제적이다. **24** 우리 아버지는 전국 단위 신문의 정치 기자여서 정부에서 일하는 사람들을 많이 알고 있다.

25 ▶

ethnic
[éθnik]
ethnicity ⓝ 민족성

ⓐ 민족의

There is a variety of ethnic groups there including Irish, Egyptian and Argentinians.

---

26 ▶

respect
[rispékt]
respectful ⓐ 존경심을 보이는

ⓥ 존경[존중]하다

She is a world-famous expert in her field, so I respect her a great deal.

---

27 ▶

frustrate
[frʌ́streit]
frustration ⓝ 불만, 좌절감

ⓥ 좌절시키다; 불만스럽게 하다

The weather frustrated the rescuers' attempts to free the 10 miners trapped underground.

---

28 ▶

mere
[miər]
merely ⓐⓓ 단지, 한낱

ⓐ 겨우, 단지

The ferry sank a mere five minutes after leaving the terminal, but no passengers were injured.

---

29 ▶

intellectual
[ìntəléktʃuəl]
intellect ⓝ 지적 능력

ⓐ 지적인, 지능의

A new UN report states that an estimated 200 million people live with intellectual disabilities worldwide.

---

30 ▶

realistic
[ríːəlistik]
realistically
ⓐⓓ 현실적으로 말해서

ⓐ 현실적인, 사실적인

The navy needs to conduct realistic training exercises to ensure that it is fully prepared to defend the country.

---

25 그곳에는 아일랜드인, 이집트인, 아르헨티나인을 포함한 다양한 민족 집단이 있다. 26 그녀가 자기 분야에서 세계적으로 유명한 전문가이므로 나는 그녀를 무척 존경한다. 27 지하에 갇힌 10명의 광부를 구출하려는 구조대원들이 날씨 때문에 좌절했다. 28 터미널을 출발한 지 겨우 5분 만에 페리가 침몰했지만 다친 승객은 없었다. 29 새로운 유엔 보고서를 보면, 전 세계적으로 2억 명에 달하는 사람이 지적 장애를 안고 살아간다고 기술되어 있다. 30 해군은 나라를 방어하기 위한 준비를 온전하게 하기 위해 현실적인 훈련을 수행할 필요가 있다.

31 ▶

remain
[riméin]

ⓥ 계속 ~이다, 남다

Our school's ice-hockey team remains unbeaten this year; let's hope it wins the championship!

32 ▶

philosophy
[filásəfi]

ⓝ 철학

Many bosses have a philosophy that workers have to come into work early and leave late.

33 ▶

unique
[ju:ní:k]

ⓐ 독특한, 특이한

The restaurant serves many kinds of natural ice cream, each with its own unique flavor.

34 ▶

grasp
[græsp]

ⓥ 꼭 쥐다; 이해하다

The theories covered in the physics lecture were far too difficult for me to grasp.

35 ▶

theme
[θi:m]

ⓝ 테마, 주제

Most Hollywood dramatic films nowadays are all variations on the same theme.

36 ▶

remind
[rimáind]

remindful ⓐ 생각나게 하는

ⓥ 상기시키다, 떠오르게 하다

Give the dental assistant your e-mail address, and she will remind you of your next appointment.

---

31 우리 학교의 아이스하키팀은 올해 계속 지지 않고 있다. 그들이 우승하기를 희망하자! 32 노동자는 직장에 일찍 출근하고 늦게 퇴근해야 한다는 철학을 가진 사장이 많다. 33 이 음식점은 많은 종류의 천연 아이스크림을 제공하는데, 각각 독특한 맛을 지닌다. 34 물리학 강의에서 다루는 이론은 내가 이해하기에는 너무 어렵다. 35 오늘날 대부분의 할리우드 영화는 같은 주제를 다루면서 형태가 다양하다. 36 치과의사의 조수에게 이메일 주소를 주면, 그녀가 당신의 다음 진료 예약에 대해 알려줄 것이다.

접두어	trans– '변화하여', '이전하여'

37▶

transfer
[trænsfə́:r]

ⓥ 옮기다, 이동하다

With online banking, it's now easier than ever before to transfer money from one bank to another.

38▶

transport
[trænspɔ́:rt]

transportation ⓝ 수송

ⓥ 수송하다, 이동시키다 ⓝ 수송, 운송

The prisoners were kept under constant surveillance while they were transported between prisons.

39▶

transplant
[trænsplǽnt]

ⓥ 이식하다 ⓝ 이식

He had a heart transplant three years ago, and now he's in the best shape of his life.

의외의 뜻을 가진 어휘

40▶

pretty
[príti]

ad 꽤, 상당히

After hearing about how Steve crashed my bike, I was pretty angry at him.

Tips pretty를 '예쁜'이라는 뜻으로만 알고 있었다면 '꽤, 상당히'라는 뜻도 함께 알아두자!

🔓 **37** 요즘은 온라인 뱅킹을 이용하면 한 은행에서 다른 은행으로 돈을 이체하기가 예전보다 쉽다. **38** 죄수들은 다른 감옥으로 이송되는 동안 계속 감시를 당했다. **39** 그는 3년 전에 심장 이식을 받았고, 지금은 평생 최고의 건강 상태를 유지하고 있다. **40** Steve가 내 자전거를 어떻게 부셨는지 듣고 나서 나는 그에게 상당히 화가 났다.

A 다음 영어를 우리말로, 우리말을 영어로 쓰시오.

1	apparent	11	경작하다, 재배하다
2	grasp	12	녹다
3	appeal	13	더 좋은, 더 나은
4	mere	14	똑같은, 동일한
5	philosophy	15	빚, 신세
6	political	16	모방하다, 흉내 내다
7	remind	17	원시적인
8	theme	18	자식, (동물의) 새끼
9	transfer	19	추수(기); 수확(량)
10	transplant	20	민족의

B 다음 빈칸에 알맞은 말을 쓰시오.

1 apparent **ad** _____ 5 industry **v** _____

2 imitate **n** _____ 6 imaginary **v** _____

3 cultivate **n** _____ 7 preferable **v** _____

4 economical **n** _____ 8 political **n** _____

C 다음 빈칸에 들어갈 알맞은 말을 **보기** 에서 고르시오.

보기   appeal   owe   overlooking   respected   contemporary

1 We _____ it to a few writers of old times that the people in the Middle Ages could slowly free themselves from ignorance.

2 Someone who reads only newspapers and books by _____ authors looks to me like a near-sighted person.

3 One summer night a man stood on a low hill _____ a wide expanse of forest and field.

4 One major reason for this is that the men's professional game has lost some of its _____.

5 For the past 25 years you have been a valued and _____ employee of this company.

01▶

investigate
[invéstəgèit]
investigation ⓝ 조사; 수사

ⓥ 연구하다, 조사하다; 수사하다

They **investigated** the ways music could be integrated into math classrooms.

02▶

toxic
[táksik]

ⓐ 유독성의

The failure to detect **toxic** food can have lethal consequences.

03▶

sour
[sauər]

ⓐ 신, 시큼한

Both humans and rats dislike bitter and **sour** foods.

04▶

deficit
[défisit]

ⓝ 적자, 부족액

The trade **deficit** grew from $5 billion to $12 billion.

05▶

inquiry
[inkwáiəri]

ⓝ 연구, 탐구; 질문

Sometimes the results of scientific **inquiry** can be unsatisfactory.

06▶

escort
[éskɔːrt]

ⓥ 호위하다

Freshwater dolphins will **escort** me on the river.

07▶

compose
[kəmpóuz]
composition ⓝ 구성, 작곡

ⓥ 구성하다; 작곡하다

The audience was **composed** mainly of teenage girls and their mothers.

---

01 그들은 음악이 수학 수업에 통합될 수 있는 방법을 연구했다. **02** 독성이 있는 음식물을 발견하지 못하면 치명적인 결과를 낳을 수 있다. **03** 사람과 쥐 모두 쓰고 신 음식을 싫어 한다. **04** 무역 적자가 50억 달러에서 120억 달러로 불어났다. **05** 가끔씩 과학적 탐구의 결과는 만족스럽지 못할 수도 있다. **06** 민물돌고래가 강에서 나를 호위할 것이다. **07** 관객은 주로 10대 소녀와 그들의 엄마들로 구성되었다.

08 ▶

recognize
[rékəɡnàiz]
recognition ⓝ 인식, 인정

ⓥ 알아보다, 인지하다

Professional musicians are trained to recognize the different sounds of various instruments.

09 ▶

advise
[ædváiz]
advice ⓝ 조언, 충고

ⓥ 조언하다, 권고하다

She is in a powerful position; she often advises the president on matters of foreign policy.

10 ▶

dozen
[dʌ́zn]

ⓝ 12개짜리 한 묶음, 여러 개

Eggs are normally packaged by the dozen, but you can buy them in other quantities too.

11 ▶

blend
[blend]

ⓥ 섞다, 혼합하다

To make the perfect smoothie, blend a mixture of tropical fruits into a smooth paste.

12 ▶

sufficient
[səfíʃənt]
sufficiency ⓝ 충분한 양
sufficiently ⓐⓓ 충분히

ⓐ 충분한

Our manager is not convinced that we have sufficient funds to do this project.

13 ▶

deficient
[difíʃənt]
deficiency ⓝ 부족, 결핍, 결함

ⓐ 부족한

Evidence exists that some Americans are deficient in calcium and other important minerals and vitamins.

---

08 전문 음악가들은 다양한 악기의 서로 다른 소리를 인식하도록 훈련받는다. **09** 그녀는 막강한 자리에 있다. 그래서 대통령에게 외교 정책 문제에 대해 종종 조언한다. **10** 계란은 대개 열두 개 단위로 포장되지만 당신은 다른 개수로도 살 수 있다. **11** 스무디를 완벽하게 만들려면 여러 열대과일을 부드러운 반죽 상태로 섞는다. **12** 우리의 관리자는 우리가 이 프로젝트를 추진할 충분한 자금이 있다고 확신하지 못한다. **13** 일부 미국인에게 칼슘을 비롯한 기타 중요한 무기물과 비타민이 부족하다는 증거가 존재한다.

14▶

rhythmic
[ríðmik]

ⓐ 율동적인, 리드미컬한(= rhythmical)

The artist's music became famous around the world for its low rhythmic beat.

15▶

curious
[kjúəriəs]

curiosity ⓝ 호기심

ⓐ 호기심이 많은, 궁금한

Babies are curious about everything around them; that's how they learn about the world.

16▶

deadline
[dédlàin]

ⓝ 기한, 마감

The deadline for submitting your application has passed, but you can try again next year.

17▶

symptom
[símptəm]

ⓝ 증상

As the boy described his symptoms to the nurse, she wrote them down in a small notebook.

18▶

dizzy
[dízi]

dizziness ⓝ 어지러움, 현기증

ⓐ 어지러운

Riding a rollercoaster always makes me feel dizzy, like I'm about to fall over.

19▶

expose
[ikspóuz]

exposure ⓝ 노출; 폭로

ⓥ 폭로하다; 노출시키다

The reporter won an award after he exposed the corporation's plan to deceive its shareholders.

🔓 **14** 그 예술가의 음악은 낮고 율동적인 박자 덕분에 전 세계적으로 유명해졌다. **15** 아기들은 자기 주변의 온갖 것에 호기심이 많다. 아기들은 이러한 방식으로 세상에 대해 배운다. **16** 너의 지원서 제출 기한이 지났지만, 내년에 다시 지원할 수 있다. **17** 소년이 자신의 증상을 묘사하자 간호사는 그것을 작은 메모장에 적었다. **18** 롤러코스터를 타면 곧 넘어질 것처럼 늘 어지럽다. **19** 그 기자는 주주들을 속이려는 기업의 계획을 폭로하고 나서 상을 받았다.

20 ▶

prescription
[priskrípʃən]

prescribe ⓥ 처방을 내리다

ⓝ 처방(전), 처방약

Before you can buy this particular medication, you need to get a prescription from your doctor.

21 ▶

represent
[rèprizént]

ⓥ 대표하다, 나타내다

In the U.S., a person may represent him- or herself in a court of law.

22 ▶

representative
[rèprizentèitiv]

ⓝ 대표(자), 대리인

The e-mail noted that a representative from the tour company would meet me at the hotel check-in.

23 ▶

facility
[fəsíləti]

facilitate ⓥ 용이하게 하다;
가능하게 하다

ⓝ 시설, 설비

More than 700 people gathered this morning outside the new nuclear research facility to protest.

24 ▶

temperature
[témpərətʃər]

ⓝ 기온, 온도

The temperature outside will continue to rise until later this afternoon, when showers are expected.

25 ▶

compete
[kəmpíːt]

competition ⓝ 경쟁
competitive ⓐ 경쟁하는

ⓥ 경쟁하다, 겨루다

The students, aware that they had to compete for the few A-grades the teacher could give, all tried their best.

---

20 이 특정 약품을 사려면 먼저 의사에게 처방전을 받아야 한다. 21 미국에서는 개인이 법정에서 자신을 대표할 수 있다. 22 여행사 대표가 호텔 카운터에서 나를 만날 것이라 이메일에 적혀 있었다. 23 700명이 넘는 사람이 시위를 하려고 오늘 아침 새 핵 연구 시설 밖에서 모였다. 24 소나기가 내릴 것으로 예상되는 오늘 오후 늦게까지 바깥 기온은 계속 올라갈 것이다. 25 선생님이 줄 수 있는 소수의 A를 위해 경쟁해야 한다는 것을 안 그 학생들은 최선을 다했다.

26▶

qualify
[kwáləfài]

qualification ⑪ 자격(증)

ⓥ 자격을 얻다[주다]

In order to qualify for the position of Lifeguard, applicants must possess both the first aid and senior water skills certificates.

27▶

participant
[pɑːrtísəpənt]

participate ⓥ 참가하다

⑪ 참가자

The most outstanding participant in this year's mock UN Security Council will be awarded a prize at the dinner on the last evening.

28▶

statistics
[stéitistiks]

⑪ 통계, 통계학

In analyzing the statistics gathered from university graduates, an alarming trend of low employment was evident, even among the high achievers.

29▶

deserve
[dizə́ːrv]

deserved
ⓐ 받아 마땅한, 응당한

ⓥ ~을 누릴 자격이 있다, ~할 자격이 있다

After all the hard work the staff members put in over the holiday season, they certainly deserve the bonuses they will receive.

30▶

legal
[líɡəl]

legalize ⓥ 합법화하다
legally ⓐⓓ 합법적으로, 법률상

ⓐ 합법적인; 법과 관련된

Although it's legal to drive at 80 kilometers an hour on these streets, people should use common sense and extra caution during school hours.

---

26 수영장 안전요원 자격을 얻기 위해서 지원자들은 응급처치 및 상급 해양훈련 자격증을 둘 다 소지해야 한다. 27 올해 모의 UN 안전보장이사회에서 가장 두드러진 참가자는 마지막 날 저녁 만찬에서 상을 받을 것이다. 28 대학 졸업자들로부터 수집한 통계 분석에는 우등생들 사이에서조차 고용 부진이라는 놀라운 경향이 분명히 나타난다. 29 그 힘든 일을 휴가철 내내 했으니, 그 직원들은 앞으로 받게 될 그 보너스를 누릴 자격이 분명히 있다. 30 이 거리에서 시속 80킬로미터로 운전하는 것이 합법적이기는 하지만, 학교가 운영되는 시간에는 사람들이 상식을 발휘하여 더 많은 주의를 기울여야 한다.

31▶

enforce
[enfɔ́ːrs]
enforcement ⓝ 강요, 집행

ⓥ 집행[시행]하다; 강요하다

If the manager doesn't enforce the restaurant closing times, customers will happily stay all night, and the staff members will not be happy.

32▶

chemistry
[kémistri]
chemical
ⓐ 화학의 ⓝ 화학 물질

ⓝ 화학, 화학적 성질

Studying chemistry teaches us more about the physical world, its composition and reactions.

33▶

assignment
[əsáinmənt]

ⓝ 임무; 과제, 숙제

Following the alleged thief was the latest assignment given to the detectives, who were happy to get out of the office and into the streets.

34▶

offense
[əféns]
offend ⓥ 기분 상하게 하다
offensive ⓐ 모욕적인

ⓝ 범죄

Pleading guilty to the offense of littering, the boy had to spend his next three lunch breaks cleaning up trash from the school grounds.

35▶

absent
[ǽbsənt]
absence ⓝ 부재, 결석, 결근

ⓐ 부재인, 결석[결근]한

Should any student be absent from more than four classes without good reason, a failing grade may be given.

---

31 매니저가 레스토랑의 영업 마감 시간을 시행하지 않는다면, 고객들은 기꺼이 밤새도록 머물 것이고 직원들은 달가워하지 않을 것이다. **32** 화학 공부는 물리적 세계, 그 구성과 반응들에 관해 더 많은 것을 우리에게 가르쳐준다. **33** 그 절도 용의자를 쫓는 것이 그 형사들에게 주어진 가장 최근의 임무였는데, 그들은 사무실을 나와 거리로 출동하게 되어 기뻤다. **34** 쓰레기 버리기 위반에 대한 유죄를 인정하고 나서, 그 소년은 그다음 세 번의 점심시간을 학교 운동장의 쓰레기를 치우는 데 보내야 했다. **35** 합당한 이유 없이 네 번 이상 수업에 결석하는 어떤 학생에게든 낙제 점수가 주어질 것이다.

접두어	trans– '변화하여', '이전하여'

36 ▶

transform
[trænsfɔ́ːrm]

transformation
ⓝ 변형, 변화, 변신

ⓥ 변형시키다

The new park will transform the area into a lively center for kids to play outdoors.

37 ▶

transact
[trænsǽkt]

transaction ⓝ 거래, 매매

ⓥ 거래하다

Only a few years ago the use of the Internet to transact stock trades was rare.

38 ▶

transmit
[trænsmít]

transmission ⓝ 전송, 전파

ⓥ 전송하다

Future cellular phone networks will transmit data at speeds much faster than today's networks.

혼동 어휘	

39 ▶

noble
[nóubl]

nobility ⓝ 귀족

ⓐ 고귀한, 귀족의

Everyone who knew him agreed that Abraham Lincoln was a man of noble character.

40 ▶

novel
[návəl]

novelty ⓝ 참신함

ⓝ 소설 ⓐ 참신한

The students in the Russian Literature class have just finished reading a novel by Dostoyevsky.

Nicole won the board's praise for suggesting a novel approach to the problem.

---

36 새 공원으로 그 지역은 아이들이 야외에서 노는 활기찬 공간으로 바뀔 것이다. **37** 불과 몇 년 전만 해도 주식을 거래하기 위해 인터넷을 사용하는 것은 드문 일이었다. **38** 미래의 휴대 전화 네트워크는 현재의 네트워크보다 훨씬 더 빠른 속도로 자료를 전송할 것이다. **39** 그를 알았던 사람들은 모두 Abraham Lincoln이 고결한 성격의 소유자였다는 사실에 동의했다. **40** 러시아 문학 수업을 듣는 학생들은 Dostoyevsky가 쓴 소설 한 권 읽기를 막 끝냈다. / Nicole은 그 문제에 대해 참신한 접근 방법을 제안해서 위원회의 칭찬을 받았다.

A 다음 영어를 우리말로, 우리말을 영어로 쓰시오.

1	absent	11	거래하다
2	assignment	12	범죄
3	blend	13	변형시키다
4	deadline	14	화학, 화학적 성질
5	dizzy	15	자격을 얻다[주다]
6	dozen	16	전송하다
7	enforce	17	증상
8	investigate	18	참가자
9	represent	19	처방(전), 처방약
10	noble	20	통계, 통계학

B 다음 빈칸에 알맞은 말을 쓰시오.

1	compose	n	5	advise	n
2	recognize	n	6	sufficient	n
3	compete	a	7	curious	n
4	legal	v	8	expose	n

C 다음 빈칸에 들어갈 알맞은 말을 보기 에서 고르시오.

보기   facility   competed   sufficient   recognized   represented

1 His efforts came to be _____ nationwide and he won the Livingstone Award in 2017.

2 When you're making a decision, following your instincts is necessary but not _____.

3 They wanted objects in paintings to be _____ with accuracy.

4 In the qualifying round, 60 participants representing 15 countries _____.

5 A new _____ is now available to make your visit to our concert hall more pleasant.

Day 23

01▶

predict
[pridíkt]

ⓥ 예측하다

We can predict and prepare for the future.

02▶

infant
[ínfənt]

ⓝ 유아

Infants are subject to this disease.

03▶

aisle
[ail]

ⓝ 통로

We'll change your seat to the aisle side.

04▶

contamination
[kəntæ̀mənéiʃən]
contaminate ⓥ 오염시키다

ⓝ 오염

It is postulated that the contamination may result from airborne transport from remote power plants.

05▶

negative
[négətiv]
negativity ⓝ 부정적 성향
negatively ad 부정적으로

ⓐ 부정적인

The teacher, not wanting to focus on the negative aspects of the test scores, praised her students for their hard work and dedication.

06▶

positive
[pázətiv]
positivity ⓝ 확실함, 적극성

ⓐ 긍정적인

Recent studies on the science of happiness find that people who focus on positive things tend to thrive in all areas of their lives.

07▶

furnish
[fə́:rniʃ]

ⓥ 가구를 비치하다; 제공하다

The new apartment is small, but it's close to the university, shopping center and park, and the owner will furnish it to your taste.

---

01 우리는 미래를 예측하고 대비할 수 있다. 02 유아들은 이 병에 걸리기 쉽다. 03 고객님의 자리를 통로 쪽 자리로 바꿔 드리겠습니다. 04 오염이 멀리 떨어진 발전소로부터 공기를 통해 전파된 결과로 발생할 수 있다는 것이 가정된다. 05 시험 성적의 부정적인 측면에 초점을 맞추기를 원치 않았던 그 교사는 열심히 공부하고 헌신한 데 대하여 자기 학생들을 칭찬했다. 06 행복학에 관한 최근의 연구는 긍정적인 것에 관심을 집중하는 사람들이 생활의 모든 면에서 성공하는 경향이 있음을 발견하고 있다. 07 새 아파트는 작지만, 대학, 쇼핑센터와 공원에 가까우며, 아파트 주인은 당신의 취향에 맞게 그것에 가구를 비치할 것이다.

08▶

norm
[nɔːrm]

ⓝ 규범, 표준

In Japan, people bow to each other in greeting, but in New Zealand hugging your friends is the norm — traveling can teach us so much about different cultures.

09▶

population
[pὰpjǝléiʃǝn]

ⓝ 인구; 주민

It's strange that such big countries often have a small population — for example, Canada has fewer people than Korea.

10▶

manned
[mænd]

ⓐ 유인(有人)의, 사람이 하는

While manned space missions are more costly than unmanned ones, they are more successful.

11▶

astronaut
[ǽstrǝnɔ̀ːt]

ⓝ 우주비행사

Of all the children who dream of being an astronaut and traveling to the moon, only a lucky, dedicated few will make it through the tough program.

12▶

operate
[ápǝrèit]

operation ⓝ 수술; 작동, 운용

ⓥ 경영하다; 조작[가동]하다

The government, hoping to encourage small-business enterprises, has initiated a loan scheme for those wishing to operate their own businesses.

---

08 일본에서는 사람들이 인사를 하면서 고개를 숙이지만, 뉴질랜드에서는 친구들과 껴안는 것이 일반적이다. 여행은 우리에게 아주 많은 다른 문화를 가르쳐준다. 09 그처럼 큰 나라가 종종 적은 인구를 가진 것은 이상하다. 예를 들어 캐나다는 한국보다도 적은 인구를 가지고 있다. 10 유인 우주선은 무인 우주선보다 더 비싸지만, 더 성공적이다. 11 우주비행사가 되어 달 여행을 갈 것을 꿈꾸는 모든 아이 중에서 운 좋은 헌신적인 소수만이 그 힘든 프로그램을 통과할 것이다. 12 중소기업들을 독려하기를 희망하는 정부는 독자적인 사업을 경영하기 원하는 중소기업들을 위한 대출 계획을 제안했다.

Day 23

---

13 ▶

geographical
[dʒì:əgrǽfikəl]

geography ⓝ 지리, 지리학

ⓐ 지리적인; 지리학의(= **geographic**)

Armed with nothing but a few provisions and an in-depth **geographical** knowledge of the mountains, the man set off on his solo journey.

---

14 ▶

capable
[kéipəbl]

capability ⓝ 능력, 역량

ⓐ ~을 할 수 있는

It's not that my brother isn't **capable** of cleaning his own room; it's that he is so lazy that my mother does it for him.

---

15 ▶

urge
[ə:rdʒ]

urgent ⓐ 긴급한
urgency ⓝ 긴급, 급박

ⓥ 설득[권고]하다

Every year, the teachers **urge** the students to join the math club, and every year the same 10 students are the only members.

---

16 ▶

muscle
[mʌsl]

muscular ⓐ 근육질의

ⓝ 근육

After finishing the walk along the Great Wall, the group could feel pain in all the **muscles** they hadn't used in a long time.

---

17 ▶

involve
[inválv]

involvement ⓝ 관련, 개입

ⓥ 포함하다; 관련시키다

Detox diets **involve** cutting certain foods and substances out of your diet for several days.

---

18 ▶

scratch
[skrætʃ]

scratchy ⓐ 긁는 소리가 나는

ⓥ 긁다, (긁어서) 새기다

The kitten made it clear she didn't like being cuddled, leaving a long **scratch** down the arm of her new owner.

---

13 단지 약간의 식량과 그 산에 대한 상세한 지리적 지식만으로 무장한 채 그 남자는 자신의 단독 여행을 시작했다. **14** 내 남동생은 자신의 방을 청소할 수 없는 것이 아니다. 그가 너무 게을러서 엄마가 그 대신 해주는 것이다. **15** 매년 교사들은 학생들에게 수학 클럽에 참여하라고 설득하며, 매년 같은 10명의 학생들만이 유일한 회원들이다. **16** 만리장성을 따라 쭉 걷기를 마친 후, 그 단체의 사람들은 오랫동안 사용하지 않았던 모든 근육이 아픈 것을 느낄 수 있었다. **17** 해독 다이어트는 당신의 일상의 음식물에서 특정한 음식과 재료를 며칠간 빼는 것을 포함한다. **18** 그 고양이는 새 주인의 팔에 할퀸 상처를 길게 남기며 자기가 안기는 것을 좋아하지 않는다는 것을 분명히 했다.

19▶

rub
[rʌb]

ⓥ 문지르다, 비비다

The ointment works well to relieve muscle aches, but remember to wash your hands after you **rub** it in.

20▶

pat
[pæt]

ⓥ 쓰다듬다

Before you **pat** an unfamiliar dog, experts say it's good to hold your hand out for them to smell first.

21▶

tempt
[tempt]

temptation ⓝ 유혹

ⓥ 유혹하다; 유도하다

Even after the big meal, the waitress managed to **tempt** all of us with dessert!

22▶

sore
[sɔːr]

soreness ⓝ 아픔, 쓰림

ⓐ 따가운, 아픈

Even after several months of training, runners will usually wake up really **sore** after a marathon.

23▶

infect
[infékt]

infection ⓝ 감염, 전염병
infectious ⓐ 전염성의

ⓥ 감염시키다

As not to **infect** local farms and crops, most countries won't allow visitors to bring in animal or plant products.

24▶

itchy
[ítʃi]

ⓐ 가려운, 간질간질한

For some people, even the smallest mention of bugs will make them **itchy** and uncomfortable.

---

19 그 연고는 근육통을 줄이는 효과가 있으나, 그것을 바른 후에 손을 씻어야 한다는 것을 명심하라. 20 낯선 개를 쓰다듬기 전에 먼저 냄새를 맡을 수 있도록 개들에게 손을 펼치는 게 좋다고 전문가들은 말한다. 21 거한 식사 이후에도 그 여종업원은 디저트를 가지고 우리 모두를 용케 유혹했다! 22 수개월간의 훈련 뒤에도 달리기 선수들은 마라톤을 한 번 뛰고 나면 대개 심한 통증을 느끼며 잠에서 깨어나곤 한다. 23 지역의 농장과 농작물을 감염시키지 않으려고 대부분의 나라는 방문객들이 동물이나 식물 제품을 들여오는 것을 불허한다. 24 어떤 사람들에게는 벌레들에 관한 가장 최소한의 언급조차도 그들을 가렵고 불편하게 만든다.

25 ▶

discomfort
[diskʌ́mfərt]

ⓝ 불편

It's natural to feel some discomfort after the operation, but please see your doctor if the pain gets worse.

26 ▶

immediate
[imíːdiət]

immediately **ad** 즉시, 즉각

ⓐ 즉각적인

Her immediate response to the accident was to call the ambulance service — a move that saved his life.

27 ▶

delay
[diléi]

ⓝ 지연, 연기 ⓥ 미루다, 연기하다

Although there was a troubling delay, the main stadium was finished just in time for the Grand Final.

28 ▶

grant
[grænt]

ⓥ 주다 ⓝ (정부) 보조금

The constitutions of many countries grant all citizens equal rights and privileges.

29 ▶

virtue
[və́ːrtʃuː]

virtuous ⓐ 도덕적인

ⓝ 선, 미덕

Mother always said, "patience is a virtue," but maybe she just wanted me to stop asking her questions!

30 ▶

ambitious
[æmbíʃəs]

ambition ⓝ 야망, 야심

ⓐ 야심 있는

Ambitious as he was, Colin was never going to sacrifice his family time for a promotion.

---

25 수술 후에 불편을 느끼는 것은 당연하지만, 통증이 점점 더 심해지면 의사를 찾으십시오. 26 그 사건에 대한 그녀의 즉각적인 반응은 구급차 서비스를 부르는 것이었다. 그 조치가 그의 목숨을 구했다. 27 골치 아픈 지연이 있기는 했지만, 주경기장은 최종 결승전에 딱 맞추어 완공되었다. 28 많은 나라에서 헌법은 시민에게 동등한 권리와 특권을 부여한다. 29 어머니는 항상 "인내는 미덕이다."라고 말씀하셨지만, 아마도 어머니는 내가 그저 질문하는 것을 그만두길 바라셨던 것 같다! 30 Colin은 야심이 있었지만 절대 승진을 위해 가족과 함께 있는 시간을 희생하려 하지는 않았다.

31 ▶

modest
[mάdist]

modesty **n** 겸손
modestly **ad** 겸손하게

a 보통의; 겸손한

Their house may have been modest in size, but it was their first home and they were very proud of it.

32 ▶

diligent
[dílədʒənt]

diligence **n** 근면, 성실
diligently **ad** 부지런히

a 부지런한, 근면한

Sean was diligent in all his studies — he worked really hard — but he never managed to get the grades for medical school.

33 ▶

prevalent
[prévələnt]

prevail **v** 만연[팽배]하다
prevalence **n** 널리 퍼짐

a 널리 퍼져 있는

Smoking is still prevalent around the world, although the practice is slowly becoming unacceptable in public places.

34 ▶

conventional
[kənvénʃənəl]

convention **n** 관습, 관례

a 관습적인, 전통적인

While making muffins in a microwave is possible, they usually taste much better using a conventional oven to bake them.

35 ▶

shift
[ʃift]

n 변화, 이동; 교대 근무 **v** (의견, 정책 등이) 바뀌다

The public shift towards recognizing global warming presented a funding windfall for the scientific community.

---

31 그들의 집은 보통 크기였지만, 첫 번째 집이라서 그 집을 무척 자랑스러워했다. **32** Sean은 모든 과목에서 성실했다. 그는 정말로 열심히 공부했다. 하지만 의대를 갈 만한 성적은 결코 얻지 못했다. **33** 흡연은 공공장소에서 서서히 수용되지 않는 추세이지만, 여전히 전 세계적으로 만연해 있다. **34** 전자레인지로 머핀을 만드는 것이 가능하지만, 재래식 오븐을 사용하여 굽는 것이 일반적으로 훨씬 더 맛이 있다. **35** 지구 온난화를 인지하는 쪽으로의 대중의 변화는 과학계에 뜻밖의 재정적 횡재를 가져다주었다.

36▶

ignore
[ignɔ́ːr]

ignorance ⓝ 무지, 무식
ignorant ⓐ 무지한, 무식한

ⓥ 무시하다

School bullies will always be around, but their power decreases when people ignore them.

혼동 어휘

37▶

advertise
[ǽdvərtàiz]

advertisement ⓝ 광고, 선전

ⓥ 광고하다, 선전하다

The pizzeria's business increased after it began to advertise on the radio.

38▶

adverse
[ædvə́ːrs]

adversely
ⓐd 반대로, 불리하게

ⓐ 불리한, 부정적인, 좋지 않은

Adverse publicity can cause celebrities' popularity to suffer if it is not carefully managed.

39▶

advance
[ədvǽns]

advancement ⓝ 발전, 진보

ⓥ 진격하다; 증진되다; 선불로 주다 ⓝ 선금; 전진; 발전

The basketball team was unable to advance the ball up the court because of its opponents' tight defense.

다의어

40▶

firm
[fəːrm]

firmly ⓐd 단호히, 확고히

ⓐ 단단한, 굳은

An unripe mango is firm and should not be squeezed or it will become bruised.

ⓝ 회사

Many law firms hire new graduates to do their paperwork for very little pay.

🔒 36 학교 깡패들은 언제나 주변에 있겠지만, 사람들이 그들을 무시하면 그들의 힘은 줄어든다. 37 그 피자 가게의 사업 실적은 라디오에 광고하기 시작한 후로 늘어났다. 38 불리한 평판은 조심스럽게 다루지 않으면 유명 인사의 인기에 피해를 줄 수 있다. 39 농구팀은 상대방의 밀착 수비 때문에 코트에서 볼을 전진시킬 수 없었다. 40 덜 익은 망고는 단단하고, 손으로 꼭 쥐어서는 안 되는데 그러면 멍이 들게 된다. / 다수의 법률 회사는 아주 적은 급여를 주고 서류 작업을 할 갓 졸업한 대학생들을 고용한다.

A 다음 영어를 우리말로, 우리말을 영어로 쓰시오.

1	astronaut	11	가려운, 간질간질한
2	predict	12	광고하다, 선전하다
3	furnish	13	따가운, 아픈
4	geographic(al)	14	무시하다
5	aisle	15	문지르다, 비비다
6	operate	16	보통의; 겸손한
7	population	17	부지런한, 근면 성실한
8	scratch	18	쓰다듬다
9	shift	19	야심 있는
10	urge	20	불편

B 다음 빈칸에 알맞은 말을 쓰시오.

1	negative	**ad**		5	urge	**a**	
2	capable	**n**		6	muscle	**a**	
3	immediate	**ad**		7	infect	**n**	
4	virtue	**a**		8	prevalent	**v**	

C 다음 빈칸에 들어갈 알맞은 말을 보기 에서 고르시오.

보기	firm	shift	norm	manned	granted

1 The record for the longest ever _____ space flight mission was set in 1996.

2 Since you started in the mail room in 1979, your contributions to this _____ have been invaluable.

3 Yet parent-infant 'co-sleeping' is the _____ for approximately 90 percent of the world's population.

4 "There now," said the gods, "all your wishes are _____, and you will now live as you've wished all your life."

5 The night staff had to stay and work an extra _____ when the victims from the train accident started to arrive at the hospital.

Day 24

---

01 ▶

intelligence
[intélidʒəns]
intelligent ⓐ 똑똑한

ⓝ 지능, 지성

Scientists are hoping a new kind of artificial intelligence will solve this problem.

---

02 ▶

threat
[θret]

ⓝ 위협, 협박

The military aimed to minimize any further threat.

---

03 ▶

apologize
[əpálədʒàiz]

ⓥ 사과하다

I apologize if I have upset you.

---

04 ▶

candidate
[kǽndidèit]

ⓝ 지원자, 후보

The initial impression of the candidate is very crucial.

---

05 ▶

appetite
[ǽpətàit]

ⓝ 식욕

Depression and anxiety can lead to lack of appetite.

---

06 ▶

personalize
[pə́:rsənəlàiz]

ⓥ (일반적인 문제를) 개인화하다

The students responded well to the teacher who decided to personalize the class by playing all of their favorite songs.

---

07 ▶

develop
[divéləp]
development ⓝ 개발, 발달

ⓥ 개발하다; (필름을) 현상하다

Car companies are competing to develop greener technologies, but they are too expensive for most customers.

---

01 과학자들은 새로운 유형의 인공 지능이 이 문제를 해결해 주기를 바라고 있다. 02 군대는 더 이상의 위협을 최소화하는 것을 목표로 했다. 03 당신을 언짢게 했다면 사과할게요. 04 지원자의 첫인상은 매우 중요하다. 05 우울증과 불안은 식욕 감퇴를 일으킬 수 있다. 06 수업을 개인의 필요에 맞추기로 한 그 교사에게 학생들은 자신들이 좋아하는 모든 노래를 연주함으로써 잘 부응했다. 07 자동차 업체들은 친환경 기술을 개발하기 위해 경쟁하고 있지만, 그것들은 대다수의 고객에게 너무 비싸다.

08 ▶

reverse
[rivə́ːrs]

reversely
ad 거꾸로, 이에 반하여

ⓥ 정반대로 바꾸다, 뒤집다

It was a long process, but the Supreme Court finally reversed the lower court's decision.

09 ▶

odd
[ɑd]

oddity **ⓝ** 이상함, 이상한 사람
oddly **ad** 이상하게

ⓐ 이상한; (수가) 홀수의

She was clearly a talented painter, even if her refusal to speak seemed a little odd.

10 ▶

auditory
[ɔ́ːditɔ̀ːri]

ⓐ 청각의

An auditory device such as a hearing aid can help a person regain his or her sense of hearing.

11 ▶

demonstrate
[démənstrèit]

demonstration
ⓝ 시위; 설명; 입증

ⓥ 보여 주다; 입증[설명]하다; 시위하다

The doctor will now demonstrate how to properly treat and bandage an injured leg.

12 ▶

burst
[bəːrst]

ⓥ 터지다, 파열하다

Without warning, the pipe burst and sprayed water all over the people waiting for the bus.

13 ▶

alter
[ɔ́ːltər]

alteration **ⓝ** 변화, 변경

ⓥ 변하다, 바꾸다, 고치다

The dress was a size too big, but it was perfect for the dance and her neighbor could alter it to fit well.

08 그것은 오랜 과정이었지만, 대법원은 결국 하급 법원의 판결을 뒤집었다. **09** 말하기를 거부하는 것이 조금은 이상해 보였더라도, 그녀는 분명히 재능 있는 화가였다. **10** 보청기 같은 청각 기기는 청력을 회복하는 데 도움을 줄 수 있다. **11** 그 의사가 이제 상처 난 다리를 어떻게 적절히 치료하고 붕대로 감는지 보여줄 것이다. **12** 느닷없이 파이프가 터져서 버스를 기다리던 사람들 위로 온통 물을 뿌려댔다. **13** 그 드레스는 큰 치수였으나 댄스용으로는 완벽했고, 그녀의 이웃이 그것을 몸에 잘 맞게 고칠 수 있었다.

14▶

majority
[mədʒɔ́(ː)rəti]

major ⓐ 주요한

ⓝ 대다수

A **majority** of staff members came to the Christmas party this year, and most brought their families too.

15▶

minority
[minɔ́ːriti]

ⓝ 소수

The people who didn't drink the free beer were in the **minority**, but they still had a good time.

16▶

interrupt
[ìntərʌ́pt]

ⓥ 중단시키다, 방해하다

Please feel free to **interrupt** and ask questions any time during the presentation.

17▶

perceptual
[pəːrséptjuəl]

perception ⓝ 지각, 자각

ⓐ 지각의

Perceptual data are gained from the sensations we receive by using our senses, such as sight, hearing and taste.

18▶

react
[riːǽkt]

reaction ⓝ 반응; 반작용
reactive ⓐ 반응을 보이는

ⓥ 반응하다

The small dog didn't **react** well to strangers, but after some time she was friendly with most people.

19▶

analyze
[ǽnəlàiz]

analysis ⓝ 분석

ⓥ 분석[해석]하다

When giving a presentation, it's important to make eye contact with your audience to help **analyze** their reactions.

---

14 직원들 대다수가 올해 크리스마스 파티에 왔으며, 그들 대부분은 가족도 데려왔다. 15 공짜 맥주를 마시지 않은 사람들은 소수였으나 그들 역시 즐거운 시간을 보냈다. 16 발표 도중 언제라도 자유롭게 중단시키고 질문해주시기 바랍니다. 17 지각 자료는 시각, 청각, 미각 등과 같은 감각을 사용해서 받아들인 느낌에서 얻어진다. 18 그 작은 개는 낯선 사람들에게 잘 반응하지 않았지만, 시간이 좀 지나자 대부분의 사람과 친해졌다. 19 발표를 할 때에는 반응을 분석하기 위해 청중들과 눈을 마주치는 것이 중요하다.

20 ▶

cue
[kju:]

ⓝ 신호; 계기

Despite months of practicing, the musicians were still sometimes missing their cues about when to start playing.

21 ▶

author
[ɔ́ːθər]

ⓝ 저자, 작가

While her stories were quite famous, the author preferred her private life to remain just that.

22 ▶

automatic
[ɔ̀ːtəmǽtik]

automatically
ad 자동으로, 무의식적으로

ⓐ 자동의

After driving for a long time, checking mirrors and fastening the seatbelt becomes automatic.

23 ▶

manner
[mǽnər]

mannerly ad 예의 바르게

ⓝ 방식, 태도

It wasn't what she said, but the manner in which she said it that made me think she was angry.

24 ▶

onstage
[ɑ̀nstéidʒ]

ⓐ 무대 위의 ad 무대 위에서, 관객 앞에서; 공연 중에

It was only onstage, with the spotlight shining, that she shared her beautiful voice.

25 ▶

scatter
[skǽtər]

ⓥ 흩뿌리다

Somehow, the baby managed to scatter his toys all through the house.

20 수 개월간의 연습에도 불구하고 그 음악가는 아직도 가끔 연주 시작 신호를 놓친다. 21 그녀에 관한 이야기들은 아주 유명했지만, 그 저자는 자신의 사생활이 그대로 유지되기를 더 원했다. 22 그 자동차는 한동안 달리고 나면, 반사경을 점검하고 안전벨트를 조이는 것이 자동으로 이루어진다. 23 그녀가 한 말이 아니라 그녀의 말하는 방식 때문에 나는 그녀가 화가 났다고 생각했다. 24 그녀가 자신의 아름다운 목소리를 들려주는 것은 조명이 빛나는 무대 위에서뿐이다. 25 어떻게 했는지 그 아이는 용케도 자기 장난감을 온 집안에 흩어 놓았다.

24

26

narrative
[nǽrətiv]
narrate ⓥ 이야기를 하다

ⓝ 이야기, 서술

The film was a heartfelt narrative about the pain felt by parents after losing a child.

27

comment
[kámənt]
commentary ⓝ 해설; 비판

ⓥ 견해를 밝히다 ⓝ 논평; 비판

If you care to comment about the problems faced in your division, please e-mail management by the day's end.

28

pile
[pail]

ⓥ 쌓다 ⓝ 더미

After dinner he built a fire, going out into the weather for wood he had piled against the garage.

29

garage
[gərá:ʒ]

ⓝ 차고, 주차장

All of my belongings are in my parents' garage, so now their car is on the street.

> **Tips** 미국은 차고에 차뿐만 아니라 잘 쓰지 않는 잡동사니를 넣어 보관한다. 집에서 쓰지 않는 물건을 자기 집 차고 앞에 늘어놓고 싼값에 파는 것을 garage sale이라고 한다.

30

gaze
[geiz]

ⓥ 응시하다, 가만히 바라보다

She couldn't help but gaze at the handsome man as he walked through the park with his dog.

🔓 **26** 그 영화는 자식을 잃은 후 부모가 느끼는 고통에 관한 진심에서 우러난 이야기였다. **27** 당신의 부서가 당면한 문제점들에 관한 견해를 밝히고 싶다면 오늘까지 경영진에게 이메일을 보내주십시오. **28** 저녁 식사 후에 그는 비바람을 무릅쓰고 밖으로 나가서 차고에 기대어 쌓아 둔 나무를 가져와 불을 피웠다. **29** 내 물건이 전부 부모님의 차고에 있어서 이제 부모님의 차는 길에 주차해 있다. **30** 잘생긴 남자가 개와 함께 공원을 걸어가자 그녀는 그를 쳐다보지 않을 수 없었다.

31▶

dew point
[djuː pɔint]

ⓝ 이슬점, 노점

The dew point relates to the humidity or dryness of the air.

32▶

measure
[méʒər]

measurement ⓝ 측정, 치수

ⓥ 측정하다 ⓝ 측정[계량]; 척도

We forgot to measure the length of the new bookshelves, but luckily they fit in our living room.

33▶

intense
[inténs]

intensity ⓝ 강도, 세기
intensive ⓐ 집중[집약]적인

ⓐ 강렬한, 격렬한

The interviews were long and intense, but worth it when she got the job she wanted.

혼동 어휘

34▶

pray
[prei]

prayer ⓝ 기도

ⓥ 기도하다

The lost climber prayed that he would have the strength to go on.

35▶

prey
[prei]

ⓝ 먹이

Lions normally stalk their prey for several hours before finally closing in for the kill.

---

31 이슬점은 공기의 습도나 건조한 상태와 관련이 있다. **32** 우리는 새 책장의 길이를 재는 것을 깜빡했지만, 다행히도 그것은 우리 집 거실에 들어맞았다. **33** 그 면접은 길고 치열했지만, 그녀가 원하는 일자리를 구했을 때에는 가치가 있었다. **34** 길 잃은 등산객은 계속 나아갈 힘을 갖게 해달라고 기도했다. **35** 사자는 마침내 먹잇감을 죽이는 순간에 가까워지기 전까지 몇 시간 동안 먹잇감에 몰래 다가간다.

Day 24

접두어	dis- '반대', '부정'

36 ▶

disappear
[dìsəpíər]

disappearance
ⓝ 사라짐, 소실

ⓥ 사라지다

Making the coin disappear from his hand was my uncle's favorite magic trick.

37 ▶

disapprove
[dìsəprúːv]

disapproval ⓝ 못마땅함

ⓥ 못마땅해하다

Many people initially disapproved of the council's decision to build a new swimming pool.

38 ▶

disable
[diseibl]

disability ⓝ 장애

ⓥ (사고 등이) 장애를 입히다

The injury did more than disable her — it took away her ability to do the job she so loved.

39 ▶

disagree
[dìsəgríː]

disagreement
ⓝ 의견 충돌; 불일치

ⓥ 동의하지 않다; 일치하지 않다

It was hard for the teenage girl to disagree with her friends, even when she didn't like what they were saying.

40 ▶

dishonest
[disánist]

dishonesty
ⓝ 부정직, 부정행위

ⓐ 정직하지 못한

The dishonest nature of the election campaign caused the mayor to lose his job.

36 손에서 동전을 사라지게 하는 것은 우리 삼촌이 가장 좋아하는 마술이었다. **37** 새 수영장을 짓는다는 위원회의 결정에 많은 사람이 처음에는 못마땅해했다. **38** 그 상처는 단지 그녀에게 장애를 입힌 것 이상이었다. 그녀가 그토록 좋아하던 일을 할 수 있는 능력을 앗아간 것이었다. **39** 십대 소녀들은 친구들이 말하는 것이 자기 마음에 들지 않을 때조차도 친구들의 의견에 동의하지 않는 것이 어렵다. **40** 그 시장은 선거 운동의 부정직한 본질 탓에 시장직을 상실했다.

A 다음 영어를 우리말로, 우리말을 영어로 쓰시오.

1	comment	11	신호; 계기
2	develop	12	방식, 태도
3	garage	13	방해하다, 중단시키다
4	gaze	14	정반대로 바꾸다, 뒤집다
5	measure	15	자동의
6	narrative	16	저자, 작가
7	personalize	17	지각의
8	pray	18	청각의
9	prey	19	터지다, 파열하다
10	reverse	20	흩뿌리다

B 다음 빈칸에 알맞은 말을 쓰시오.

1	demonstrate	n	5	majority	a
2	alter	n	6	measure	n
3	disappear	n	7	disapprove	n
4	react	n	8	narrative	v

C 다음 빈칸에 들어갈 알맞은 말을 보기 에서 고르시오.

보기   prey   analyze   dew point   pile   odd

1 Use your experience to _____ the situation.

2 The _____ of dirty dishes after the dinner party was huge, but luckily the guests helped to clear them away.

3 Deer were its natural _____, but there weren't many left in this area.

4 Aristotle developed an entire theory of physics that physicists today find _____ and amusing.

5 When the mirror temperature is above _____ and the intensity of the transmitted light is 10mW/cm2, the intensity of the observed light is the same.

01►

rating
[réitiŋ]

ⓝ 평가, 등급

Many people gave a score of 1 on a 5-point rating scale.

02►

weigh
[wei]

ⓥ 무게가 ~이다; 따져 보다

The average newborn baby weighs around 3 kg.

03►

conservation
[kὰnsərvéiʃən]
conserve ⓥ 보호하다

ⓝ 보존, 보호

The law of conservation of energy can be inaccurate.

04►

repetitive
[ripétitiv]

ⓐ 반복적인, 반복되는

Sometimes our job can become so repetitive.

05►

subjective
[səbdʒéktiv]

ⓐ 주관적인

The article has too much of the writer's subjective views.

06►

reputation
[rèpjətéiʃən]

ⓝ 평판

Once lost, a good reputation may be hard to regain.

07►

crash
[kræʃ]

ⓝ 사고, 충돌

Luckily, both drivers walked away from the crash uninjured.

---

01 많은 사람들이 5점이 만점인 평가에서 1점을 줬다. 02 신생아의 평균 몸무게는 3kg 정도 나간다. 03 에너지 보존 법칙은 정확하지 않을 수 있다. 04 가끔씩 우리들의 직무는 너무 반복적일 수 있다. 05 그 기사에는 글쓴이의 주관적인 견해가 너무 많이 담겨 있다. 06 좋은 평판은 한 번 잃으면 회복하기 어렵다. 07 다행히도 두 운전자는 다치지 않고 사고에서 벗어났다.

08▶

coverage
[kʌ́vəridʒ]

ⓝ (방송, 신문의) 보도, (책 등에 실린 정보의) 범위

Most news programs provided extensive coverage of the election results.

09▶

defect
[difékt]
defective ⓐ 결함이 있는

ⓝ 결함, 흠

The defect caused the computer to turn off at strange times, and the problem needed to be fixed.

10▶

beverage
[bévəridʒ]

ⓝ 음료

With such a long beverage list, it was hard to decide but finally the couple chose a bottle of French champagne.

11▶

attitude
[ǽtitʃùːd]
attitudinal
ⓐ 태도의, 사고방식의

ⓝ 태도, 사고방식

A positive attitude towards a class is a key factor in achieving high grades.

12▶

massive
[mǽsiv]
massively ⓐⓓ 육중하게

ⓐ 거대한, 매우 큰

The extent of the damage after the typhoon was massive, but the residents remained hopeful about their future.

13▶

neutral
[njúːtrəl]
neutralize
ⓥ 중화시키다, 상쇄시키다
neutrality ⓝ 중립

ⓐ 중립적인; 중성의

Although most of the class had a strong opinion about smoking in public, the teacher remained a neutral observer.

---

08 대부분의 뉴스 프로그램은 선거 결과에 대한 폭넓은 보도를 제공했다. **09** 그 결함 때문에 컴퓨터가 아무 때나 꺼져서 그 문제는 해결이 필요했다. **10** 음료 목록이 너무 많아서 결정하기가 어려웠지만, 결국 그 부부는 프랑스 샴페인 한 병을 선택했다. **11** 수업에 대한 적극적인 태도는 높은 성적을 받는 핵심 요소이다. **12** 태풍 후의 피해 정도가 매우 컸지만, 거주자들은 여전히 자신들의 미래에 대해 희망적이었다. **13** 학급 대부분이 흡연에 대해 강력한 의견을 가지고 있었으나, 그 교사는 중립적인 참고인으로 남았다.

14▶

valid
[vǽlid]

validate ⓥ 입증[승인]하다
validity ⓝ 유효함, 타당성

ⓐ 유효한, 타당한

Gift vouchers are great gift ideas for people who have everything, and are usually **valid** for one year.

15▶

biased
[báiəsd]

bias ⓝ 편견, 선입견
ⓥ 편견을 갖게 하다

ⓐ 편견이 있는; ~에 치중하는

Tom admitted he was **biased** when he claimed his girlfriend was the world's most beautiful woman.

16▶

humanity
[hju:mǽnəti]

human ⓐ 인간의, 인간적인
humanitarian
ⓝ 인도주의적인

ⓝ 인류; 인간성

Showing great **humanity**, she donated her life savings to help the fight against hunger in Africa.

17▶

construct
[kənstrʌ́kt]

construction ⓝ 건설; 건축물

ⓥ 만들다, 건설하다; 구성하다

The boys decided to **construct** a model volcano for their science project.

18▶

enemy
[énəmi]

ⓝ 적; 장애물

Teenagers often see their parents as the **enemy**, even when they know their parents care greatly about them.

Tips natural enemy는 '천적'이라는 뜻이다.

---

14 상품권은 모든 것을 가진 사람들에게 훌륭한 선물 아이디어이며, 대개는 1년 동안 유효하다. **15** Tom은 자신의 여자친구가 세상에서 가장 예쁜 여자라는 자신의 주장이 편견에 치우쳤음을 인정했다. **16** 그녀는 훌륭한 인간성을 보여주며 아프리카에서 기아와 맞서 싸우는 데 도움을 주고자 평생 모은 돈을 기부했다. **17** 그 소년들은 과학 연구 과제로 모형 화산을 만들었다. **18** 십대들은 종종 자기 부모가 자신들을 매우 걱정한다는 것을 알 때조차도 그들을 적으로 본다.

19▶

ultimate
[ʌ́ltəmit]

ultimatum ⓝ 최후통첩
ultimately
ad 궁극적으로, 근본적으로

ⓐ 궁극적인, 근본적인; 최고의

Going snorkeling was interesting, but the ultimate fun was the day we went scuba diving!

20▶

suitable
[súːtəbl]

suitably
ad 적합하게, 적절하게

ⓐ 적합한, 알맞은

The rental car drove well and was suitable for short trips, but it wasn't comfortable for long journeys.

21▶

seek
[siːk]

ⓥ 찾다, 추구하다

The Saturday newspaper is a great place to look if you seek a new place to rent.

22▶

pause
[pɔːz]

ⓥ 중단하다

With only a small pause to regain her thoughts, the lawyer gave her closing argument with great conviction.

23▶

fill
[fil]

ⓥ 채우다, 충족시키다

Who knew it would be so expensive to fill your car with fuel these days?

---

19 스노클 잠수를 가는 것은 재미있었지만, 최고로 재미있었던 건 스쿠버 다이빙을 갔던 날이었다! **20** 임대 자동차는 잘 나갔고 짧은 여행에 적합했지만, 장기 여행에는 불편했다. **21** 새로 세 들어 살 곳을 찾고 있다면 토요일 신문이 가장 참고할 만하다. **22** 생각을 정리하기 위해 아주 잠깐 멈추었다가, 그 변호사는 커다란 확신을 가지고 최후 변론을 진행했다. **23** 요즘 차에 기름을 넣는 것이 그렇게 비쌀 줄 누가 알았겠니?

24

float
[flout]

ⓥ (물 위, 공중에서) 떠가다

The Dead Sea is so salty, people visit it just to float around in it all day.

25

element
[éləmənt]

elementary
ⓐ 초급의, 근본적인

ⓝ 요소, 성분

Each element of the recipe was important to master if the soufflé was to be a success.

26

ecosystem
[í:kousìstəm]

ⓝ 생태계

The desert ecosystem supports species that are adapted to both low water and extreme heat.

27

so-called
[sóukɔːld]

ⓐ 소위, 이른바

Working on the problem of the missing teddy bear, the so-called Detective Club started its first important case.

28

mineral
[mínərəl]

ⓝ 미네랄, 무기물, 광물

Some companies have falsely claimed that their bottled water has mineral qualities, even when it's from the tap.

29

output
[áutpùt]

ⓝ 생산[산출]량, 결과

The factory output was so low that they couldn't sell the products fast enough.

---

24 사해는 너무 염분이 많아서 사람들은 온종일 둥둥 떠다니려고 그곳을 방문한다. 25 수플레를 성공적으로 만들려면 요리법의 각 요소를 익히는 것이 중요했다. 26 사막 생태계는 적은 물과 극심한 열 모두에 적응한 종들을 지탱시킨다. 27 잃어버린 테디 베어 문제를 해결하려 공을 들이며, 소위 '탐정 클럽'은 자신들의 첫 주요 사건을 시작했다. 28 어떤 회사들은 자신들의 생수가 수도에서 나온 것일 때에도 미네랄 성분이 들어 있다고 거짓으로 주장한다. 29 그 공장의 생산량이 너무 적어 그들은 그 제품을 충분히 빨리 판매할 수가 없었다.

30 ▶

productivity
[pròudəktívəti]

productive
ⓐ 생산하는, 생산적인

ⓝ 생산성

Having rest breaks during the day is one way to boost staff productivity.

31 ▶

display
[displéi]

ⓥ 보여 주다, 전시하다, 드러내다

Chocolates on display next to the cashier always sold the fastest.

32 ▶

decline
[dikláin]

ⓝ 감소, 축소 ⓥ 감소[축소]하다

Although the TV program was popular, the decline in viewers was likely due to the movie special that was also showing.

33 ▶

still
[stil]

stillness ⓝ 고요, 정적

ⓐ 고요한; 정지한; 잔잔한

The walkers remained still as the snake moved across their path.

34 ▶

ideally
[aidí:əli]

ideal ⓐ 이상적인

ⓐ 원칙적으로; 이상적으로, 완벽하게

Ideally, the candidate will have a masters degree and three to five years of postgraduate experience.

35 ▶

bunch
[bʌnʧ]

ⓝ 무리, 다발, 많음

We had a great time camping on the beach with a bunch of classmates over the summer vacation.

30 일과 중 휴식시간을 갖는 것은 직원들의 생산성을 높이는 한 가지 방법이었다. **31** 계산대 옆에 진열된 초콜릿은 항상 가장 빨리 팔렸다. **32** 비록 그 TV 프로그램은 인기가 좋았지만, 시청률 감소는 동시에 방영된 특집 영화 때문인 듯했다. **33** 뱀이 길을 가로질러 가자 걷던 사람들은 정지해 있었다. **34** 원칙적으로 후보자는 석사 학위와 3년에서 5년의 대학원 재학 경험을 보유할 것이다. **35** 우리는 여름 방학 동안 한 무리의 반 친구들과 함께 해변에서 캠핑하며 즐거운 시간을 보냈다.

36 ▶

solitary
[sálitèri]

solitude ⓝ 고독

ⓐ 고독한, 혼자 하는, 홀로 있는

Working in the lighthouse was a solitary life, but the beauty of the area made up for some of this.

혼동 어휘

37 ▶

assume
[əsjú:m]

assumption
ⓝ 추정; (권력) 장악

ⓥ 추정하다; (권력, 책임을) 갖다

I assumed my brother was coming to the party, so I was surprised when he didn't show up.

---

38 ▶

resume
[rizú:m]

ⓥ 다시 시작하다; 자기 자리로 돌아가다

The baseball game was allowed to resume after the rain stopped.

---

39 ▶

résumé
[rézumèi]

ⓝ 요약, 개요; 이력서

Yo Yo Ma's musical résumé includes performances at Carnegie Hall and a tour with the New York Philharmonic.

다의어

40 ▶

deposit
[dipázit]

ⓝ 보증금, 착수금

When buying a large item on credit, a deposit of 10 to 20 percent is normally required.

ⓥ 침전시키다; 예금하다

Part of my salary is deposited directly into a savings account every month.

---

36 등대에서 일하는 것은 고독한 생활이었지만, 그 지역의 아름다움이 이 고독한 생활을 일부 만회해주었다. 37 나는 남동생이 파티에 오리라 추측했다. 그래서 그가 나타나지 않자 놀랐다. 38 야구 경기는 비가 그치고 난 후에 다시 시작하기로 승인이 떨어졌다. 39 요요마의 음악 이력에는 카네기 홀에서 열렸던 공연과 뉴욕 필하모니와 함께 했던 순회공연이 포함되어 있다. 40 외상으로 큰 물건을 살 때에는 보통 10~20%의 보증금이 요구된다. / 내 급여의 일부분은 매달 보통예금으로 바로 예금된다.

A 다음 영어를 우리말로, 우리말을 영어로 쓰시오.

1 attitude _____
2 beverage _____
3 coverage _____
4 enemy _____
5 humanity _____
6 neutral _____
7 reputation _____
8 seek _____
9 suitable _____
10 valid _____

11 (물 위, 공중에서) 떠가다 _____
12 보존, 보호 _____
13 감소[축소](하다) _____
14 주관적인 _____
15 미네랄, 무기물, 광물 _____
16 생태계 _____
17 소위, 이른바 _____
18 사고, 충돌 _____
19 반복적인 _____
20 중단하다 _____

B 다음 빈칸에 알맞은 말을 쓰시오.

1 defect ⓐ _____
2 massive ad _____
3 construct ⓝ _____
4 ultimate ad _____
5 valid ⓝ _____
6 biased ⓝ _____
7 solitary ⓝ _____
8 element ⓐ _____

C 다음 빈칸에 들어갈 알맞은 말을 보기 에서 고르시오.

보기   weigh   defect   bunch   resume   crash

1 If our situation changes, we will call you to _____ delivery.

2 We should _____ its pros and cons before we make a decision.

3 Smallmouth bass often school up, which means that if you catch one, you can catch a _____.

4 The reputation of an airline, for example, will be damaged if a survey is conducted just after a plane _____.

5 A computer company lost its reputation in company surveys just after major news coverage about a _____ in its products.

across

01 ▶

cut across

가로지르다

Chris cut across the parking lot and headed to the library.

02 ▶

run across

우연히 만나다

I ran across Kate on the street the other day.

03 ▶

get across

(의미가) ~에게 전달되다, 이해되다

The guest speaker tried very hard to get her point across to the audience, but many of them did not understand.

04 ▶

come across

우연히 마주치다

Simmons was studying eagles in Africa when he came across a pair of male giraffes locked in combat.

away

05 ▶

throw away

버리다, 없애다

You have to throw away food waste separately from the rest.

06 ▶

put away

넣다, 치우다

I need some help putting these vases away.

07 ▶

go away

사라지다; 떠나다

As a result, stress never really goes away.

08 ▶

fade away

(희미해져서) 사라지다

Information in memory fades away unless it is refreshed.

---

01 Chris는 주차장을 가로질러서 도서관으로 향했다. 02 나는 며칠 전에 길에서 Kate를 우연히 만났다. 03 그 초청 연사는 청중에게 자신의 주장이 전달되기 위해서 매우 열심히 노력했지만, 청중 대다수는 이해하지 못했다. 04 Simmons가 아프리카에서 독수리를 연구하고 있을 때 싸움 중인 수컷 기린 두 마리와 우연히 마주쳤다. 05 음식물 쓰레기는 다른 쓰레기와 분리해서 버려야 한다. 06 나는 이 꽃병들을 치우는 데 도움이 필요하다. 07 결과적으로 스트레스는 결코 사라지지 않는다. 08 기억 속의 정보는 되살려지지 않으면 사라진다.

Day 26
~30

01 ▶
physical
[fízikəl]

ⓐ 물리적인; 육체의

The building provides the physical environment and setting for a particular social ritual.

02 ▶
bill
[bil]

ⓝ 고지서, 청구서 ⓥ 청구서를 보내다

She managed to pay the bills.

03 ▶
spill
[spil]

ⓥ 쏟다, 흘리다

An assistant spilled pencils everywhere.

04 ▶
vertical
[və́ːrtikəl]
vertically **ad** 수직으로

ⓐ 수직의

The vertical mountain looked impossible to climb at first.

05 ▶
horizontal
[hɔ̀ːrəzántl]
horizontally **ad** 수평으로

ⓐ 수평의

English writing practice is easier using the horizontal lines of the notepaper.

06 ▶
continuous
[kəntínjuəs]
continue ⓥ 계속되다
continuously
ad 계속해서, 끊임없이

ⓐ 계속되는, 거듭된

It was a continuous cycle of classes, homework, and sleep for many weeks — but relief came after the last exams.

🔓 **01** 건물은 특별한 사회적 의식을 위한 물리적인 환경과 장소를 제공한다. **02** 그녀는 어떻게든 청구서 비용을 지불하고 있었다. **03** 한 조교가 연필을 사방에 쏟았다. **04** 수직으로 선 그 산은 처음에 등반하기에 불가능해 보였다. **05** 영어 쓰기 연습은 메모지의 가로 줄을 이용하면 더 쉽다. **06** 몇 주 동안은 수업을 듣고, 숙제하고, 잠자는 생활이 계속해서 반복되었다. 하지만 기말 고사 후에 긴장 완화가 찾아왔다.

07 ▶

gravity
[grǽvəti]

ⓝ 중력

The law of gravity was first proposed by Isaac Newton in his 1687 treatise *Principia*.

08 ▶

wasteland
[wéistlæ̀nd]

ⓝ 황무지, 불모지

The vision of the architect turned the abandoned wasteland into a park loved by the whole community.

09 ▶

trial and error
[tráiəl ənd érər]

시행착오

Through trial and error, she found the perfect shortcut to school.

10 ▶

architecture
[ɑ́:rkətèktʃər]

architect ⓝ 건축가, 설계자

ⓝ 건축(학)

No trip to Chicago would be complete without a tour of the city's famous architecture.

11 ▶

practical
[prǽktikəl]

practice ⓝ 실천, 관행, 관습

ⓐ 현실[실제]적인; 타당한; 실용적인

While they may look great, high heels certainly aren't the most practical shoes to walk around in.

12 ▶

restore
[ristɔ́:r]

restoration ⓝ 복원, 부활

ⓥ 회복시키다, 복원하다

After her client's hair turned bright purple, the stylist worked hard to restore it to the original color.

---

07 중력의 법칙은 1687년에 Isaac Newton의 논문 '프린키피아(Principia: 법칙)'에서 최초로 제안되었다. **08** 그 건축가의 비전은 버려진 황무지를 지역 사회 전체가 좋아하는 공원으로 바꾸어 놓았다. **09** 그녀는 시행착오를 통해 학교로 가는 완벽한 지름길을 찾아냈다. **10** 도시의 유명 건축물을 돌아보지 않고서는 시카고 여행을 마쳤다고 할 수 없을 것이다. **11** 하이힐은 좋아 보이기는 하지만, 분명히 걸어 다니기에 가장 실용적인 신발은 아니다. **12** 고객의 머리가 밝은 보라색으로 변한 후, 그 스타일리스트는 그것을 원래의 색깔로 돌려놓느라 애썼다.

13▶

vague
[veig]

vagueness ⓝ 분명치 않음
vaguely ⓐⓓ 모호하게

ⓐ 모호한, 애매한

The instructions for the model airplane were so vague that the final result looked nothing like the picture on the box.

14▶

clarity
[klǽrəti]

ⓝ 명확성, 명료성

With surprising clarity, the young girl explained her project to the scholarship committee.

15▶

absolute
[ǽbsəlùːt]

absolutely ⓐⓓ 틀림없이; 전혀

ⓐ 완전한; 절대적인

It was an absolute victory for the home team, which won the game 4-1.

16▶

issue
[íʃuː]

ⓥ 발표하다; 발행하다 ⓝ 화제, 이슈

The public had no choice but to issue a warning to the President — fix the economy or call an election.

17▶

specific
[spisífik]

specify
ⓥ 구체적으로 명시하다

specifically
ⓐⓓ 분명히, 특별히

ⓐ 특정한; 구체적인

The singer was quite specific about what food she wanted to eat before the concert.

🔓 **13** 그 모형 비행기의 제품 설명서가 너무 모호해서 최종 결과물은 상자의 그림과 전혀 달라 보였다. **14** 놀라운 명석함으로 그 어린 소녀는 자신의 연구 계획을 장학위원회에 설명했다. **15** 그것은 홈팀의 완전한 승리였고, 4대 1로 이겼다. **16** 대중은 대통령에게 경제를 바로잡든지 아니면 선거를 실시하라는 경고를 발표하는 것 이외에는 선택의 여지가 없었다. **17** 그 가수는 콘서트 전에 자기가 어떤 음식을 먹고 싶은지에 대해 매우 구체적이었다.

18▶

state
[steit]

statement ⓝ 진술; 서술

ⓥ 말하다, 진술하다 ⓝ 상태

The judge ordered the man to state his name, age, and place of birth to the courtroom.

19▶

namely
[néimli]

ⓐⓓ 다시 말해, 즉

Good health requires work — namely, eating the right foods and regular exercise.

20▶

draw
[drɔ:]

ⓥ 끌다; (커튼 등을) 치다[걷다]

The girls had to draw their friend away from the bargain table before she bought one of everything.

21▶

accessible
[æksésəbl]

access ⓝ 접근; 입장

ⓐ 접근 가능한

Thanks to some recent renovations, all of the movie cinemas had become accessible to wheelchairs.

22▶

scenery
[sí:nəri]

ⓝ 풍경, 경치

The amazing underwater scenery was hard to describe without using photos as proof.

23▶

suggestion
[səɡdʒéstʃən]

suggest ⓥ 제안하다, 암시하다

ⓝ 제안; 암시

At the suggestion of his wife, the man went to see a doctor about his painful neck.

18 판사는 그 남자에게 법정에서 이름, 나이, 그리고 출생지를 진술하라고 명령했다. **19** 좋은 건강은 노력, 다시 말해서, 적절한 음식과 규칙적인 운동을 필요로 한다. **20** 그 소녀들은 모든 것들 중 하나를 구매하기 전에 협상 테이블에서 자신들의 친구를 끌어내야 했다. **21** 최근의 일부 수리 덕분에 모든 영화관은 이제 휠체어가 들어갈 수 있게 되었다. **22** 그 놀라운 물속 풍경은 증거로 사진을 사용하지 않고 말로 설명하기가 어려웠다. **23** 아내의 제안에 그 남자는 아픈 목에 대해 진찰을 받으러 갔다.

24 ▶

property
[prάpərti]

ⓝ 재산, 부동산; (사물의) 속성

The property line was clearly marked by a long, wire fence.

25 ▶

tribe
[traib]

tribal ⓐ 부족의, 종족의

ⓝ 부족, 집단

The Apalachee are an Indian tribe of people that live in the area around what is now called Florida.

26 ▶

exhibition
[èksəbíʃən]

exhibit ⓥ 전시하다, 보이다

ⓝ 전시(회); (감정, 기교 등의) 표현

The exhibition of the children's posters was attended by all of the parents.

27 ▶

purpose
[pə́:rpəs]

ⓝ 목적, 목표

The purpose of the new regulations was to improve staff health and safety.

28 ▶

tension
[ténʃən]

tense ⓐ 긴장한

ⓝ 갈등; 긴장

Public protests have caused much tension within the government, with many wanting the leader to resign immediately.

29 ▶

precious
[préʃəs]

ⓐ 귀중한, 소중한

The pearl was particularly precious due to its perfect shade of pink.

---

24 그 부동산 경계선은 긴 전선 울타리로 분명히 표시되어 있었다. **25** 아팔라치 족은 현재 플로리다로 불리는 지역 일대에 사는 인디언 부족이다. **26** 아이들의 포스터 전시회에 모든 부모들이 참석했다. **27** 새로운 규칙의 목적은 직원들의 건강과 안전을 증진하려는 것이었다. **28** 대중의 저항은 지도자가 즉시 사임하기를 원하는 사람들이 많아지면서 정부 내에서 큰 갈등을 초래했다. **29** 그 진주는 그 완벽한 핑크 색조 때문에 특히 값이 비쌌다.

30▶

charm
[tʃɑːrm]

ⓝ 매력

While not strikingly handsome, the man had a **charm** that never failed to win the hearts of ladies everywhere.

31▶

aspect
[ǽspekt]

ⓝ 측면, 양상

The most important **aspect** of the new house's design was its low environmental impact.

32▶

vivid
[vívid]

vividly **ad** 생생하게, 선명하게

ⓐ 선명한; (색이) 화려한

The novel described the scene in such **vivid** detail that the reader could imagine being there.

33▶

striking
[stráikiŋ]

strikingly
ad 두드러지게, 눈에 띄게

ⓐ 두드러진; 빼어난

The most **striking** part of the garden was the large collection of rare orchids.

34▶

evidence
[évidəns]

evident ⓐ 분명한

ⓝ 증거; 증언; 흔적

Chocolate all over his face and hands was definite **evidence** that the boy ate the cookies.

---

30 눈에 띄게 잘생기진 않았지만, 그 남자는 어디에서나 여자들의 마음을 얻는 데 실패한 적이 없는 매력이 있었다. **31** 새 집의 설계의 가장 중요한 측면은 환경에 미치는 영향이 낮다는 것이었다. **32** 그 소설은 그 장면을 아주 생생하게 자세히 묘사해서 읽는 사람은 자신이 그곳에 있다고 상상할 수 있을 정도였다. **33** 그 정원의 가장 두드러진 부분은 엄청난 수의 희귀한 난초 수집품들이었다. **34** 그 소년의 얼굴과 손에 온통 묻어 있는 초콜릿이 그가 쿠키를 먹었다는 명백한 증거였다.

접두어	in–, im–, ir–, il– '부정', '반대'

35▶

imperfect
[impə́:rfikt]

imperfection ⓝ 결함

ⓐ 불완전한

The cake may have looked a little imperfect, but the guests agreed it was the best they have ever tasted.

36▶

immoral
[imɔ́(:)rəl]

immorality ⓝ 부도덕 (행위)

ⓐ 부도덕한, 비도덕적인

While it was certainly not illegal, many people thought the age difference of the couple to be somewhat immoral.

37▶

illogical
[ilɑ́dʒikəl]

illogically ⓐⓓ 비논리적으로

ⓐ 비논리적인, 불합리한

The decision to leave the cake on the table only seemed illogical after the dog ate it all.

38▶

irrelevant
[iréləvənt]

irrelevance ⓝ 무관함

ⓐ 상관없는, 무관한

It was irrelevant who broke the table; the problem now was finding a replacement.

혼동 어휘	

39▶

principle
[prínsəpl]

ⓝ 원리, 원칙

Greg's financial strategy is based on the principle that stocks offer the best returns for first-time investors.

40▶

principal
[prínsəpəl]

ⓐ 주된 ⓝ 교장선생님

Vegetables and beef are the principal ingredients in this soup.

The new principal spent most of her first day on the job trying to locate her office.

35 그 케이크는 다소 불완전한 것처럼 보였지만, 손님들은 자기들이 맛본 가장 맛있는 케이크라는 데 동의했다. 36 전혀 불법이 아니기는 하지만, 많은 사람이 그 부부의 나이 차이가 다소 비도덕적이라고 생각했다. 37 그 케이크를 테이블 위에 놓아두기로 한 결정은 그 개가 그것을 전부 먹어 치운 후엔 터무니없어 보였다. 38 그 탁자를 누가 망가뜨렸는지는 상관없었다. 문제는 이제 그것을 대체할 것을 찾는 것이었다. 39 Greg의 재정 전략은 주식이 첫 투자가에게 최고의 수익을 안겨준다는 원칙을 바탕으로 한다. 40 채소와 소고기가 이 스프의 주 재료이다. / 신임 교장선생님은 부임 첫 날의 대부분을 자기 사무실의 위치를 찾는 데 썼다.

A 다음 영어를 우리말로, 우리말을 영어로 쓰시오.

1 spill _____
2 evidence _____
3 exhibition _____
4 immoral _____
5 property _____
6 striking _____
7 suggestion _____
8 principle _____
9 tribe _____
10 vivid _____

11 건축(학) _____
12 완전한, 절대적인 _____
13 다시 말해, 즉 _____
14 명확성, 명료성 _____
15 불모지 _____
16 시행착오 _____
17 접근 가능한 _____
18 중력 _____
19 풍경, 경치 _____
20 회복시키다, 복원하다 _____

B 다음 빈칸에 알맞은 말을 쓰시오.

1 specific `ad` _____
2 practical `n` _____
3 vague `ad` _____
4 vertical `ad` _____
5 continuous `v` _____
6 restore `n` _____
7 irrelevant `n` _____
8 tension `a` _____

C 다음 빈칸에 들어갈 알맞은 말을 보기 에서 고르시오.

보기   aspects   issue   namely   precious   irrelevant

1 A fire chief, for example, needs to _____ his orders with absolute clarity.

2 Technical _____ of the work, such as dirt removal, are quite straightforward.

3 What has been preserved of their work belongs among the most _____ possessions of mankind.

4 Beginners to any art don't know what is important and what is _____, so they try to absorb every detail.

5 This idea of centrality may be locational, _____ that a city lies at the geographical center of England, Europe, and so on.

01
severe
[sivíər]

ⓐ 심각한, 극심한, 가혹한

Severe mercury poisoning occurred in many people who consumed the fish.

02
imagery
[ímidʒəri]

ⓝ 이미지, 형상화

Satellites are collecting a great deal of imagery.

03
widespread
[wáidspréd]

ⓐ 광범위한, 널리 퍼진

Apocalypse Now, a film directed by Francis Ford Coppola, gained widespread popularity.

04
trait
[treit]

ⓝ (성격상의) 특성, 특징

Which cultural item is accepted depends on the item's use and compatibility with already existing cultural traits.

05
intention
[inténʃən]
intend ⓥ 의도하다

ⓝ 의도, 의사, 목적

Good intentions don't always lead to good results.

06
superior
[səpíəriər]
superiority ⓝ 우월성

ⓐ 우월한; 상급의; 우수한

The 2009 model is still the superior choice for people serious about great sound quality.

01 그 물고기를 먹은 많은 사람들에게 심한 수은 중독이 발생했다. 02 위성은 많은 양의 이미지를 모으고 있다. 03 Francis Ford Coppola가 감독한 영화인 〈Apocalypse Now〉는 폭넓은 인기를 얻었다. 04 어떤 문화 항목이 받아들여지는 가는 그 항목의 용도 및 이미 존재하는 문화적 특성과의 양립 가능성에 달려 있다. 05 좋은 의도가 항상 좋은 결과를 가져오는 것은 아니다. 06 2009년도 모델은 여전히 훌륭한 음질을 중요시하는 사람들에게 우수한 선택이다.

07 ▶

inferior
[infíəriər]

inferiority ⓝ 열등함

ⓐ 열등한, 하급의

Seeing native people as inferior was a grave mistake of early explorers to the country.

08 ▶

automobile
[ɔ́:təməbì:l]

ⓝ 자동차

America's automobile industry was badly damaged by the recent economic crisis.

09 ▶

role model
[roul mádəl]

ⓝ 동경의 대상, 역할 모델

Always a good role model, the soccer player never drank or took drugs.

10 ▶

admire
[ædmáiər]

admiration ⓝ 존경; 감탄
admiring ⓐ 찬양하는; 감탄하는

ⓥ 좋아하다, 존경하다

Love it or hate it, you have to admire the Apple company and its innovations.

11 ▶

parental
[pəréntl]

parent ⓝ 부모

ⓐ 부모의

The movie poster recommended parental guidance for children under thirteen years of age.

12 ▶

upright
[ʌ́pràit]

ⓐ 똑바른, 꼿꼿한; 곧은

Once your baby sits upright, it's only a matter of time before crawling begins.

07 원주민들을 열등하게 본 것은 그 나라를 초기에 탐험한 자들의 중대한 실책이었다. **08** 미국의 자동차 산업은 최근의 경제 위기로 인해 심각한 타격을 입었다. **09** 언제나 훌륭한 동경의 대상인 그 축구선수는 음주나 마약을 전혀 하지 않았다. **10** 좋든 싫든, 당신은 애플(Apple)사와 그들의 혁신을 존경해야만 한다. **11** 그 영화 포스터는 13세 이하 어린이들에게는 부모의 지도를 권고했다. **12** 당신의 아기가 똑바로 앉는다면 기어다니기 시작하는 것은 시간문제이다.

13 ▶

deliberate
[dilíbərət]
deliberately **ad** 고의적으로

ⓐ 의도적인, 고의의

The cheap flights were a deliberate ploy by the airline to gain popularity in the new country.

14 ▶

boredom
[bɔ́:rdəm]

ⓝ 권태, 지루함

Boredom can often lead to snacking on sugary foods, so it's important to stay active.

15 ▶

alternate
[ɔ́:ltərnit]
alternation ⓝ 교대
alternately **ad** 교대로, 번갈아

ⓐ 번갈아 하는, 교대의

See the Pink Panthers play live on alternate Friday nights at the Royal Hotel.

16 ▶

exotic
[igzátik]

ⓐ 이국적인

It was an exotic sight — elephants, lions and zebras so close you could almost touch them.

17 ▶

desperate
[déspərit]
despair ⓝ 절망 ⓥ 절망하다
desperately
ad 절망적으로, 필사적으로

ⓐ 필사적인, 간절히 원하는

It seemed a desperate act, but jumping out of the building certainly saved his life.

18 ▶

remote
[rimóut]
remotely **ad** 멀리서

ⓐ 멀리 떨어진

The School of the Air began to help educate children living on remote farming properties.

---

13 저렴한 항공료는 새로운 나라에서 인기를 얻기 위한 그 항공사의 의도적인 책략이었다. **14** 권태는 종종 단 음식의 섭취로 이어질 수 있으므로 활동성을 유지하는 것이 중요하다. **15** 로열 호텔에서 격주 금요일 밤마다 라이브 공연하는 '핑크 팬더'를 보라. **16** 그것은 이국적인 광경이었다. 코끼리, 사자, 그리고 얼룩말들이 손닿을 듯 가까이 있었다. **17** 그것은 필사적인 행위 같았지만, 그 빌딩에서의 낙하가 확실히 그의 목숨을 구했다. **18** 방송 통신 학교는 멀리 떨어진 농장 지대에 사는 아이들을 교육하는 것을 돕기 시작했다.

19 ▶

benefit
[bénəfit]

beneficial ⓐ 이로운, 유익한

ⓝ 혜택, 이득 ⓥ 이득을 보다, 유익하다

Free lunch for all staff members is just one benefit of the many provided by the company.

20 ▶

convince
[kənvíns]

ⓥ 납득시키다, 설득하다

Her parents had set her curfew at 11:30 p.m., and she could not convince them to change it.

21 ▶

bumpy
[bʌ́mpi]

bump ⓝ 요철

ⓐ 울퉁불퉁한

It was a fairly uneventful flight, although it got a little bumpy toward the end.

22 ▶

homey
[hóumi]

ⓐ 아늑한, 포근한

For a modern design, the apartment still managed to feel quite homey.

23 ▶

unattractive
[ʌ̀nətrǽktiv]

ⓐ 매력 없는, 좋지 않은

Most of the graffiti was unattractive, but something about the new picture on the wall interested the store owner.

24 ▶

crooked
[krúkid]

ⓐ 구불구불한, 곧지 않은

The main attraction of Lombard St. in San Francisco is driving down the crooked section.

---

19 전 직원 무료 점심은 그 회사가 제공하는 많은 혜택 가운데 하나에 불과하다. **20** 그녀의 부모는 그녀의 통금 시간을 11시 30분으로 정했고, 그녀는 그들이 그것을 바꾸도록 납득시키지 못했다. **21** 끝날 때쯤에 다소 흔들렸지만, 그것은 상당히 평온 무사한 비행이었다. **22** 그 아파트는 현대적인 디자인에도 불구하고 여전히 꽤 아늑한 기분이 들었다. **23** 대부분의 낙서는 흥미롭지 않았지만, 담벼락의 새로운 그림에 관한 무언가는 가게 주인의 흥미를 끌었다. **24** 샌프란시스코에 있는 롬바르드 거리의 주요 명소는 구불구불한 부분을 운전해 내려가는 것이다.

25 ▶

mass produce

mass production
ⓝ 대량 생산

ⓥ 대량 생산하다

The company would like to mass produce the prototype it developed last year.

---

26 ▶

overhear

[òuvərhíər]

ⓥ 엿듣다

Customers had no choice but to overhear the argument between the couple in the quiet café.

---

27 ▶

spectacular

[spektǽkjələr]

spectacle ⓝ 장관, 광경

ⓐ 굉장한, 극적인

The stage production was quite spectacular and well worth the high cost of admission.

---

28 ▶

regret

[rigrét]

regretful ⓐ 후회하는

ⓥ 후회하다, 유감이다

It's with much regret that I write to inform you about our decision to reject your application.

---

29 ▶

engage

[engéidʒ]

engagement ⓝ 약속, 약혼

ⓥ 사로잡다, 끌다; 관계를 맺다; 약속하다

To really engage the students in the topic, a field trip to a local farm was organized.

---

30 ▶

release

[rilí:s]

ⓝ 발표, 개봉, 석방 ⓥ 풀어주다; (대중에) 발표하다

The release of the movie was perfectly timed to coincide with the awards season.

🎧 **25** 그 회사는 작년에 개발한 견본을 대량 생산하기를 원한다. **26** 고객들은 조용한 카페에서 그 커플 사이의 말다툼을 엿들을 수밖에 없었다. **27** 그 무대 연출은 매우 극적이었고 비싼 입장료의 값어치가 있었다. **28** 당신의 지원을 거절하기로 한 우리의 결정을 알리는 글을 쓰게 되어 무척 유감입니다. **29** 그 학생들을 진정으로 그 주제로 끌어들이기 위하여 지역 농장으로의 답사를 계획했다. **30** 그 영화의 개봉은 수상 시즌과 같은 시기에 일치하도록 시기를 완벽히 맞춘 것이었다.

31 ▶

distribute
[distríbju:t]

distribution ⓝ 분배, 배급

ⓥ 분배하다, 배포하다

As a final touch, distribute the remaining strawberries on the top of the cake for decoration.

32 ▶

compare
[kəmpɛ́ər]

comparison ⓝ 비교, 비유

ⓥ 비교하다

Both were amazing, and it was impossible to compare the two meals and choose which was the best.

33 ▶

rectangular
[rektǽŋgjələr]

rectangle ⓝ 직사각형

ⓐ 직사각형의

Advances in construction technology mean that buildings are no longer confined to being built in rectangular shapes.

34 ▶

ingredient
[ingrí:diənt]

ⓝ 재료, 원료

Cashew nuts were the ingredient that tied all the flavors together.

35 ▶

pharmacy
[fá:rməsi]

pharmacist ⓝ 약사

ⓝ 약국

The local pharmacy also sold a range of gifts, which was convenient for last-minute shopping.

36 ▶

organ
[ɔ́:rgən]

ⓝ (신체) 장기, 기관

Your heart is an important organ that needs to be looked after with healthy food and regular exercise.

---

31 마무리로 남은 딸기를 장식을 위해 케이크 위에 나눠 놓으세요. 32 둘 다 놀라워서 두 음식을 비교해서 어떤 것이 최고인지 정하는 것은 불가능했다. 33 건축 기술에서의 발전은 건물들이 더 이상 직사각형 모양으로 건축되는 것에 한정되지 않는다는 것을 의미한다. 34 캐슈너트는 모든 맛을 한데로 묶어주는 재료였다. 35 동네 약국에서는 또한 다양한 선물을 판매했는데, 그것이 늦장 쇼핑을 하기에 편리했다. 36 당신의 심장은 건강한 음식과 규칙적인 운동으로 보살핌을 받아야 하는 중요한 장기이다.

혼동 어휘

37 ▶

fare
[fɛər]

ⓝ (교통) 요금

I asked a young woman to lend me some coins for the bus fare.

38 ▶

fair
[fɛər]

fairness ⓝ 공정; (피부가) 흰

ⓐ 공정한, 타당한; (양, 정도 등이) 상당한; (안색이) 창백한; (날씨가) 좋은

It's not fair that my colleague gets to leave work early and I don't.

A fair number of students will have taken a foreign language by the time they graduate from high school.

I think it is rather unfair to decide our children's career paths based on the results of an aptitude test taken when they are 11 or 12 years old.

39 ▶

fear
[fiər]

fearful ⓐ 무서운
fearless ⓐ 두려움을 모르는

ⓝ 공포, 두려움 ⓥ 두려워하다, 염려하다

For some strange reason, my grandfather has always had a fear of flying.

They fear that these climbers may try to climb the biggest and tallest trees if they learn their exact locations.

의외의 뜻을 가진 어휘

40 ▶

run
[rʌn]

ⓥ (사업체, 기관 등을) 운영[경영]하다

John Lasseter runs the animation studio Pixar from its office in California.

> **Tips** run을 '달리다'라는 뜻으로만 알고 있었다면 위의 뜻도 함께 알아두자!

---

37 나는 버스 요금을 내려고 동전을 몇 개 빌려 달라고 한 젊은 여성에게 부탁했다. 38 내 동료는 일찍 퇴근하고 나는 퇴근하지 못한다는 것은 공평하지 않다. / 상당한 수의 학생들은 고등학교를 졸업할 때까지 한 가지 외국어를 습득하게 될 것이다. / 나는 아이의 진로를 11~12살에 보는 적성 검사의 결과를 바탕으로 정하는 것이 꽤 부당하다고 생각한다. 39 몇 가지 이상한 이유로 우리 할아버지는 늘 비행을 두려워하셨다. / 그들은 이 나무 타는 사람들이 그것들의 정확한 위치를 알게 되면 가장 크고 높은 나무들에 오르기 위해 노력할지도 모른다고 염려한다. 40 John Lasseter는 캘리포니아에 위치한 사무실에서 만화 영화 제작 스튜디오인 픽사를 운영한다.

A 다음 영어를 우리말로, 우리말을 영어로 쓰시오.

1	admire	11	똑바른, 꼿꼿한; 곧은
2	widespread	12	대량 생산하다
3	desperate	13	동경의 대상, 역할 모델
4	fear	14	부모의
5	ingredient	15	비교하다
6	admire	16	엿듣다
7	organ	17	이국적인
8	convince	18	권태, 지루함
9	pharmacy	19	사로잡다; 관계를 맺다
10	rectangular	20	후회하다, 유감이다

B 다음 빈칸에 알맞은 말을 쓰시오.

1	deliberate	ad		5	alternate	n	
2	remote	ad		6	benefit	a	
3	engage	n		7	spectacular	n	
4	distribute	n		8	superior	n	

C 다음 빈칸에 들어갈 알맞은 말을 보기 에서 고르시오.

보기	engages	rectangular	intention	overheard	fare

1 A woman approached them and _____ my friend's wife say, "I can't believe how beautiful this is."

2 One particular Korean kite is the _____ "shield kite," which has a unique hole at its center.

3 Every day each of us _____ in many types of complex activities.

4 Children from ages 2 through 11 get 40% off the standard _____.

5 They have every _____ of starting their own business.

Day 28

01

passionate
[pǽʃənit]

ⓐ 열정적인, 열렬한

He was passionate about his work up until the end.

02

renovate
[rénəvèit]
renovation ⓝ 보수, 개조

ⓥ 보수하다, 개조하다

The building has been recently renovated.

03

prohibit
[prouhíbit]
prohibition ⓝ 금지

ⓥ 금지하다, 막다

The laws prohibited firms from employing children.

04

equipment
[ikwípmənt]
equip ⓥ 장비를 갖추다

ⓝ 장비, 용품

A pen and notebook was all the equipment needed to start work on her first novel.

05

presentation
[prèzəntéiʃən]

ⓝ 발표; 제시; 상연[상영]

Although he was interested in the presentation, he really only came for the free gift.

06

creativity
[krìːeitívəti]
creative ⓐ 창조적인, 독창적인

ⓝ 창조력, 독창성

The pressure to succeed academically can be at the cost of nurturing creativity in many students.

---

01 그는 마지막까지 자신의 일에 대해 열정적이었다. 02 그 건물은 최근 보수되었다. 03 그 법은 회사가 어린이들을 고용하는 것을 금지했다. 04 펜 한 자루와 공책 하나가 그녀의 첫 번째 소설 작업을 시작하기 위해서 필요한 용품의 전부였다. 05 그는 발표에 관심은 있었지만, 실제로는 단지 무료 사은품 때문에 왔다. 06 학문적으로 성공하려는 중압감은 많은 학생들에게 있어서 독창성 배양을 희생시킬 수 있다.

07▶

gather
[gǽðər]

ⓥ 모으다, 모이다

It didn't take long for people to **gather** around and enjoy the street performance.

08▶

historic
[histɔ́(ː)rik]

history ⓝ 역사

ⓐ 역사적인

In a **historic** performance, the swimmer finished the games with twelve gold and three silver medals.

09▶

fee
[fiː]

ⓝ 요금; 수수료

Late **fees** will be charged from next week.

Tips▶ late fee는 '연체료'라는 뜻이다.

10▶

register
[rédʒəstər]

registration ⓝ 등록; 신고

ⓥ 등록하다; 신고하다 ⓝ 기록부, 명부

There are only a few rooms available, so **register** early to avoid disappointment.

11▶

discover
[diskΛ́vər]

discovery ⓝ 발견

ⓥ 발견하다, 알게 되다

I recently renewed my driver's license and was pleased to **discover** that the picture smiling back at me looked just like a 32-year-old woman.

---

07 사람들이 모여 거리 공연을 즐기는 데에는 오랜 시간이 걸리지 않았다. **08** 역사적인 성과 속에, 그 수영선수는 12개의 금메달과 3개의 은메달로 그 대회를 끝냈다. **09** 연체료는 다음 주부터 부과될 것입니다. **10** 이용할 수 있는 방이 몇 개 밖에 없으니 실망하지 않으려면 빨리 등록하십시오. **11** 나는 최근에 내 운전면허증을 갱신했고 나를 향해 웃고 있는 사진이 서른 두 살의 여성처럼 보인다는 것을 발견하게 되어 기뻤다.

12▶

include
[inklú:d]
inclusion ⓝ 포함

ⓥ 포함하다

It's important to include things like food and taxis when making a holiday budget.

13▶

accommodation
[əkámədèiʃən]
accommodate ⓥ 수용하다

ⓝ 숙박시설

Accommodations start at $200 per night, and includes breakfast and a free welcome cocktail.

14▶

souvenir
[sùːvəníər]

ⓝ 기념품

He was told not to, but the boy took one of the rocks home as a souvenir.

15▶

fine
[fain]

ⓝ 벌금

Driving more than 5km per hour above the speed limit near the school will earn all drivers a large fine.

16▶

allowance
[əláuəns]
allow ⓥ 허락[용납]하다

ⓝ 용돈; 수당

Walking the dog and washing dishes were jobs that helped her earn a weekly allowance.

17▶

skip
[skip]

ⓥ (하던 일을) 건너뛰다; 뛰어다니다

Students who skip more than four classes without reason will receive an automatic "F" grade.

18▶

photocopy
[fóutoukàpi]

ⓝ 복사 ⓥ 복사하다

Just to be safe, they took photocopies of all the travel documents they needed.

---

12 휴가 예산을 작성할 때에는 음식과 택시 같은 것을 포함하는 것이 중요하다. 13 숙박은 1박에 200달러부터이며, 아침 식사와 무료 환영 칵테일 한 잔이 포함된다. 14 그 소년은 하지 말라는 말을 들었지만 암석 중 하나를 기념품으로 집에 가져갔다. 15 학교 근처에서 제한 속도보다 시속 5km를 초과해서 운전하는 모든 운전자들에게 많은 벌금이 부과된다. 16 개를 산책 시키고 접시를 닦는 것은 그녀가 매주 용돈을 버는 데 도움을 주는 일들이다. 17 이유 없이 수업에 4번 이상 결석한 학생들은 자동적으로 'F' 학점을 받을 것이다. 18 단지 안전을 위해 그들은 자신들이 필요로 하는 모든 여행 서류를 복사했다.

19▶

second-hand
[sèkəndhǽnd]

ⓐ 중고의

The dress was second-hand, but she still felt like a princess.

20▶

charity
[tʃǽrəti]

charitable ⓐ 자선의

ⓝ 자선; 자선 단체

Donations to the charity increased greatly when the work they did was recognized by the UN.

21▶

trash
[træʃ]

ⓝ 쓰레기, 쓸모 없는 것

Separate the recyclable goods from the trash and place them in the box provided.

22▶

treasure
[tréʒər]

ⓝ 보물, 귀중품

The boy's treasure box held a feather, baseball cards, family photos, and the shells he found at the beach.

23▶

beat
[bi:t]

beatable ⓐ 이길 수 있는

ⓥ 이기다, 물리치다; 통제하다

Anyone who could beat the previous record for running the marathon would win a new car.

24▶

refund
[rí:fʌnd]

refundable ⓐ 환불 가능한

ⓝ 환불(금) ⓥ 환불하다

Please return faulty or unwanted goods within seven days for a full refund.

Tips ask for a refund는 '환불을 요청하다', get a refund는 '환불 받다'라는 뜻이다.

🔓 **19** 그 드레스는 중고였지만, 그녀는 여전히 공주 같은 기분이었다. **20** 그들이 한 일이 UN의 승인을 받자, 자선 단체에 대한 기부가 크게 늘었다. **21** 쓰레기에서 재활용품을 분리해서 제공한 상자에 넣으세요. **22** 그 소년의 보물 상자에는 깃털, 야구 카드, 가족 사진과 자기가 해변에서 발견한 조개껍데기들이 담겨 있었다. **23** 종전의 마라톤 기록을 깨는 사람이 새로운 자동차를 타게 될 것이다. **24** 전액 환불을 위해 일주일 내로 불량품이나 원치 않는 상품을 반환해 주십시오.

25▶

exchange
[ikstʃéindʒ]

ⓝ 교환 ⓥ 교환하다

After the customary exchange of gifts, the family sat down to a wonderful Christmas breakfast.

26▶

import
[impɔːrt / impɔ́ːrt]

ⓝ 수입(품) ⓥ 수입하다, 가져오다

The architect recommended that the couple import their new doors from a specialist in Italy.

27▶

export
[ékspɔːrt / ikspɔ́ːrt]

ⓝ 수출(품) ⓥ 수출하다, 내보내다

After the bananas were washed and packed, they were ready to be collected for export.

28▶

delightful
[diláitfəl]

delight ⓝ 기쁨, 즐거움

ⓐ 매우 기분 좋은, 유쾌한, 즐거운

It was a delightful wedding — everything was tastefully decorated, and the food was delicious.

29▶

budget
[bʌ́dʒit]

budgetary ⓐ 예산의

ⓝ 예산 ⓥ 예산을 세우다

If they could stick to a budget for six months, they could afford to travel to Europe for the summer.

30▶

grip
[grip]

ⓥ 움켜잡다 ⓝ 통제

Putting chalk powder on your hands will make gripping the rocks easier.

---

25 의례적인 선물 교환 후에 그 가족은 근사한 크리스마스 조찬을 위해 자리에 앉았다. 26 그 건축가는 그 부부에게 이탈리아의 장인으로부터 새로운 문을 수입할 것을 권고했다. 27 그 바나나들은 세척되고 포장된 다음 수출을 위해 집하될 준비가 되었다. 28 즐거운 결혼식이었다. 모든 것이 세련되게 장식되었고 음식은 맛있었다. 29 그들이 6개월 동안 예산을 고수할 수 있다면 여름에 유럽 여행을 할 여유가 있을 것이다. 30 손에 분필 가루를 바르면 바위를 잡기가 훨씬 더 쉬워질 것이다.

31 ▶

estimate
[éstimət / éstəmèit]

ⓝ 견적, 추정[추산] ⓥ 추정[추산]하다

If you cannot get confirmed prices, get as many estimates as you can.

32 ▶

emergency
[imə́:rdʒənsi]

ⓝ 비상[긴급] (사태)

In an emergency, please evacuate the building using the stairs, not the elevator.

33 ▶

emit
[imít]

emission ⓝ 배출(물)

ⓥ (빛, 가스 등을) 내뿜다

The Hubble Telescope can easily detect rays of light emitted by distant stars and galaxies.

> **Tips ▶** 허블 우주 망원경은 지구 궤도를 도는 미국 항공 우주국(NASA)의 천체 관측 망원경이다.

34 ▶

omit
[oumít]

omission ⓝ 생략, 누락

ⓥ 생략하다

I was asked not to omit any details in my report to the branch manager.

35 ▶

solution
[səljú:ʃən]

ⓝ 용액

The chemical solution we will be using in the lab has been prepared by the research assistant.

> **Tips ▶** solution을 '해결(책)'이라는 뜻으로만 알고 있었다면 '용액'이라는 뜻도 함께 알아두자!

31 확정 가격을 얻지 못했다면 가능한 한 많은 견적을 얻도록 해라. **32** 비상 시에는 엘리베이터가 아닌 계단을 이용해서 건물에서 대피하십시오. **33** 허블 우주 망원경은 멀리 있는 별들과 은하계에서 내뿜는 광선들을 쉽게 발견할 수 있다. **34** 나는 지점장에게 제출할 보고서에서 어떤 세부사항도 생략하지 말라는 부탁을 받았다. **35** 우리가 실험실에서 사용하게 될 화학 용액은 연구 보조에 의해 준비되었다.

Day 28

접두어	non – '~이 아님'

36 ▶

nonviolent
[nánváiələnt]

nonviolence ⓝ 비폭력

ⓐ 비폭력의

The **nonviolent** nature of the demonstrations was reflected positively in the news coverage of the event.

37 ▶

nonsense
[nánsens]

ⓝ 말도 안 되는 말[생각]

The little girl was sure she saw a dragon, even though her mother told her it was **nonsense**.

38 ▶

nonfiction
[nɑnfíkʃən]

ⓝ 사실이나 실제 일어난 일을 다루는 글[문학], 실화

The fact that the story was **nonfiction** made it even more terrifying.

39 ▶

nonverbal
[nɑnvə́:rbəl]

ⓐ 비언어적인

The performance, although **nonverbal**, moved the audience to tears with its sad ending.

40 ▶

nonprofit
[nɑ̀nprɑ́fit]

ⓐ 비영리적인

The café was a popular **nonprofit** enterprise, using the money it made to help train disadvantaged workers.

---

36 그 시위의 비폭력적인 성격은 그 사건에 대한 뉴스 보도에서 긍정적으로 비춰졌다. **37** 소녀의 엄마는 그녀에게 말도 안 된다고 했지만, 그 어린 소녀는 자기가 용을 보았다고 확신했다. **38** 그 이야기가 실화라는 사실이 더욱 무서웠다. **39** 그 공연은 비록 대사는 없었지만, 비극적인 결말로 청중들의 눈물을 자아냈다. **40** 그 카페는 수익을 혜택을 받지 못한 근로자들의 교육을 돕기 위해 쓰는 비영리 기업이다.

A 다음 영어를 우리말로, 우리말을 영어로 쓰시오.

1	emergency	_____	11 기념품	_____
2	emit	_____	12 발표; 제시; 상연[상영]	_____
3	estimate	_____	13 벌금	_____
4	nonprofit	_____	14 숙박시설	_____
5	nonverbal	_____	15 역사적인	_____
6	omit	_____	16 용돈; 수당	_____
7	passionate	_____	17 자선; 자선 단체	_____
8	solution	_____	18 장비, 용품	_____
9	trash	_____	19 중고의	_____
10	treasure	_____	20 창조력, 독창성	_____

B 다음 빈칸에 알맞은 말을 쓰시오.

1	renovate	ⓝ _____		5	discover	ⓝ _____
2	prohibit	ⓝ _____		6	include	ⓝ _____
3	charity	ⓐ _____		7	register	ⓝ _____
4	nonviolent	ⓝ _____		8	refund	ⓐ _____

C 다음 빈칸에 들어갈 알맞은 말을 보기 에서 고르시오.

보기	beat	estimate	delightful	fee	historic

1 Flying over rural Kansas in an airplane one fall evening was a _____ experience for passenger Walt Morris.

2 We _____ your order will take 5-10 days for delivery.

3 Most of the entry _____ went towards keeping the park clean for visitors.

4 Understanding why _____ events took place is also important.

5 Congratulations! Finally, you _____ your competitors.

01▶

exclusively
[iksklú:sivli]

ad 오로지, 오직 ~만, 배타적으로

Law courses are peopled nearly exclusively by law students.

02▶

popularity
[pàpjəlǽrəti]
popular ⓐ 인기 있는

ⓝ 인기

The popularity of basketball were growing fast.

03▶

variation
[vɛ̀əriéiʃən]

ⓝ 차이, 변화

Natural selection can maintain genetic variation when environmental conditions are variable.

04▶

cover
[kʌ́vər]
coverage ⓝ 보장; 범위

ⓥ (보험으로) 보장하다; 다루다; 포함하다

Even though the car accident was not her fault, the insurance company would not cover her repairs.

05▶

sudden
[sʌ́dn]
suddenly **ad** 갑자기

ⓐ 갑작스러운

After a sudden drop in temperature, everyone stopped swimming and left the beach.

01 법과 수업은 거의 모두가 법 전공 학생들로 구성되었다. 02 농구의 인기가 빠르게 성장하고 있었다. 03 자연 선택은 환경 조건이 가변적인 경우, 유전적 차이성을 유지할 수 있다. 04 비록 그 교통사고는 그녀의 잘못이 아니었지만, 보험 회사는 그녀의 수리비를 보장하려 하지 않았다. 05 기온이 갑자기 떨어져서 기온 하강 후에 모든 사람들은 수영을 중단하고 해변을 떠났다.

06▶

factor
[fǽktər]

ⓝ 요인, 인자

Her previous work experience was a major factor behind her recent job promotion.

07▶

aggressive
[əgrésiv]

aggression ⓝ 공격(성)
aggressively **ad** 공격적으로

ⓐ 공격적인, 적극적인

Both teams played an aggressive game, and it was a shame that one had to lose.

08▶

mature
[mətʃúər]

maturity ⓝ 성숙함, 성인임

ⓐ 성숙한, 다 자란 ⓥ 성숙해지다

She was mature enough to walk away from the girls who teased her about her glasses.

09▶

sensibility
[sènsəbíləti]

sensible ⓐ 분별 있는

ⓝ 감정, 감수성

He showed a depth of sensibility and thoughtfulness that was rare for people of his age.

10▶

constant
[kánstənt]

constantly **ad** 끊임없이

ⓐ 끊임없는

The constant interruptions at home forced the boy to go to the library to study.

11▶

civilize
[sívəlàiz]

ⓥ 교화하다; 세련되게 하다

A civilized man, Mr. Smith always helped others and was polite to everyone he met.

🎧 **06** 그녀의 이전 업무 경력은 그녀의 최근 승진 배경에 있어서 주요한 요인이었다. **07** 두 팀은 모두 공격적인 게임을 펼쳤고, 어느 한 팀이 져야 하는 상황은 안타까운 일이었다. **08** 그녀는 자신의 안경에 대해 놀리는 소녀들을 외면할 정도로 성숙했다. **09** 그는 자기 또래의 사람들에게는 거의 없는 깊이 있는 감수성과 신중함을 보여 주었다. **10** 집에서의 끊임없는 방해로 그 소년은 공부를 하러 도서관에 가지 않을 수 없었다. **11** 세련된 Smith 씨는 항상 남을 돕고, 만나는 모든 사람들에게 정중했다.

12▶

trade
[treid]

ⓝ 상거래, 교역

The book trade was a great success with more than 300 books being exchanged during the event.

13▶

contain
[kəntéin]

content ⓝ 내용(물)

ⓥ ~이 들어 있다

The gift looked big enough to contain a new television.

14▶

cuisine
[kwizíːn]

ⓝ (고유의) 요리법

Meat dishes feature heavily in French cuisine.

15▶

consume
[kənsúːm]

consumption ⓝ 소비(량)

ⓥ 소비하다; 먹다

Turning your computer screen off will consume less energy and therefore save you money.

16▶

consumer
[kənsúːmər]

ⓝ 소비자

Consumer prices of essential products like rice, milk, and vegetables are 10% higher than last year.

17▶

manufacture
[mænjəfǽktʃər]

manufacturing ⓝ 제조업

ⓥ 제조[생산]하다 ⓝ 제조, 생산

The company was able to manufacture cars that emitted less pollution than before.

18▶

purchase
[pə́ːrtʃəs]

ⓥ 사다 ⓝ 구입

If you purchase one pair of shoes, you get the second for half-price.

---

12 그 도서 상거래는 그 이벤트 기간 중 300권 이상이 교환되는 대성공이었다. 13 그 선물은 새 텔레비전이 들어 있을 만큼 충분히 커 보였다. 14 프랑스 요리에서는 심할 정도로 고기 요리들이 특징을 이룬다. 15 컴퓨터 화면을 끄는 것은 에너지를 덜 소비할 것이다. 그래서 당신의 돈을 절약해 줄 것이다. 16 쌀, 우유, 채소와 같은 필수품의 소비자 가격은 작년보다 10%가 더 비싸다. 17 그 회사는 전보다 오염 물질을 덜 방출하는 차를 생산할 수 있었다. 18 신발 한 켤레를 사면 다른 신발을 반값에 살 수 있습니다.

19▸

portray
[pɔːrtréi]

portrait ⑩ 초상화
portrayal
⑪ (책, 연극 내에서의) 묘사

ⓥ 묘사하다

The novel *Great Expectations* portrays England during the Industrial Revolution.

20▸

offend
[əfénd]

offense ⑪ 모욕, 범죄
offensive ⓐ 모욕적인, 불쾌한

ⓥ 불쾌하게 하다

The young man promised not to offend his teacher anymore by talking in her class.

21▸

hateful
[héitfəl]

ⓐ 불쾌한, 혐오스러운

The new neighbor spoke in such a hateful way that no one wanted to ask her to the party.

22▸

feather
[féðər]

⑪ 깃털

All birds, regardless of whether they are flightless or not, have feathers on their bodies.

23▸

escape
[iskéip]

ⓥ 탈출하다, 벗어나다

Camping is a great way to get back to nature and escape everyday life for a while.

24▸

punish
[pʌ́niʃ]

punishment ⑪ 처벌, 형벌

ⓥ 처벌하다

If she is late one more time, the teacher will punish her with a detention.

19 소설 〈위대한 유산〉은 산업혁명기의 영국을 묘사한다. **20** 그 젊은이는 수업 중에 떠들어서 더 이상 선생님을 불쾌하게 하지 않겠다고 약속했다. **21** 새로운 이웃은 말을 너무 불쾌하게 해서 아무도 그녀를 파티에 초대하려고 하지 않았다. **22** 모든 새들은, 날고 못 날고를 떠나서, 몸에 깃털이 있다. **23** 캠핑은 자연으로 돌아가 잠시 일상생활에서 탈출할 수 있는 훌륭한 방법이다. **24** 그녀가 한 번 더 지각을 하면, 선생님은 그녀에게 방과 후에 남도록 벌을 줄 것이다.

25 ▶

reveal
[rivíːl]
revelation ⓝ 폭로

ⓥ 밝히다, 드러내다

She didn't want to reveal her dress until the day of the wedding.

26 ▶

perspective
[pəːrspéktiv]

ⓝ 관점, 시각; 원근법

The theater company's production of *Romeo and Juliet* was told from a modern perspective.

27 ▶

abstract
[æbstrǽkt]
abstraction ⓝ 관념

ⓐ 추상적인, 관념적인

To him, hunger was an abstract concept as he had never missed a meal in his life.

28 ▶

concrete
[kánkríːt]
concretely ad 구체적으로

ⓐ 구체적인, 실체가 있는

The strange weather we are having is a concrete example of global warming.

29 ▶

convert
[kənvə́ːrt]
conversion ⓝ 전환, 전향

ⓥ 바꾸다, 전환하다

It wasn't hard to convert the sofa into an extra bed when the extra guests arrived.

30 ▶

comprehend
[kàmprihénd]
comprehension ⓝ 이해력
comprehensible
ⓐ 이해할 수 있는
comprehensive ⓐ 포괄적인

ⓥ 이해하다

The story was easy to comprehend, even if it was a little boring.

---

25 그녀는 결혼식 날까지 드레스를 드러내고 싶지 않았다. 26 그 극단의 작품 '로미오와 줄리엣'은 현대적인 시각에서 이야기를 들려주었다. 27 그는 일생에 식사를 거른 적이 전혀 없었기 때문에 배고픔이 추상적인 개념이었다. 28 요즘 우리가 맞고 있는 이상한 날씨는 지구온난화의 한 구체적인 예다. 29 추가 손님이 왔을 때 소파를 추가 침대로 바꾸는 것은 어렵지 않았다. 30 그 이야기는 약간 지루했지만, 이해하기에는 쉬웠다.

31 ▶

darken
[dá:rkən]

dark ⓐ 어두운

ⓥ 어두워지다, 어둡게 하다

The sky began to darken before lunch, and the rain started not long afterwards.

32 ▶

combine
[kəmbáin]

combination ⓝ 결합(물)

ⓥ 결합하다

Making purple paint is easy — simply combine red and blue.

33 ▶

refine
[rifáin]

refinement ⓝ 개선

ⓥ (작은 변화로) 개선하다

The committee decided to refine the interview process in the next meeting.

34 ▶

outward
[áutwərd]

ⓐ 겉보기의, 표면상의

From an outward perspective, the position involved many positive benefits like travel and a car.

35 ▶

policy
[páləsi]

ⓝ 정책, 방책; 보험증서

Saving paper is a policy of this office, so we encourage staff members not to print if they don't need.

31 하늘은 점심 식사 전에 어두워지기 시작했고 오래지 않아서 비가 내리기 시작했다. **32** 보라색 물감을 만드는 것은 쉽다. 단지 빨간색과 파란색을 결합해라. **33** 그 위원회는 다음 회의에서 면접 과정을 개선하기로 결정했다. **34** 그 직책은 표면적 관점에서 여행과 자동차 같은 많은 긍정적인 혜택을 포함하고 있었다. **35** 종이를 절약하는 것은 이 사무실의 정책이다. 따라서 우리는 필요한 경우가 아니면 인쇄를 하지 말라고 직원들에게 장려한다.

36 ▶

associate
[əsóuʃièit / əsóuʃiət]
association
ⓝ 연관, 연계, 협회

ⓥ 연관 짓다 ⓝ (직장) 동료

She would associate red shoes with the movie *The Wizard of Oz* throughout her childhood.

37 ▶

hesitate
[hézətèit]
hesitation ⓝ 주저, 망설임

ⓥ 주저하다, 망설이다

She did hesitate for a minute when she saw the handsome man, but she went ahead and greeted him.

혼동 어휘
38 ▶

favor
[féivər]
favorable ⓐ 호의적인

ⓝ 호의; 지지 ⓥ 선호하다

Everyone at the office thinks that Frank is trying to earn the boss's favor by working late every night.

39 ▶

flavor
[fléivər]

ⓝ 맛

The gelato place on the corner of First and Amsterdam in New York sells more than 30 flavors of ice cream.

다의어
40 ▶

complex
[kəmpléks / kámpleks]
complexity ⓝ 복잡함

ⓐ 복잡한

Nuclear reactors are complex systems that require hundreds of people to work properly.

ⓝ 단지, 복합 건물

The housing complex I grew up in was recently demolished to make way for a golf course.

---

36 그녀는 어린 시절 내내 빨간 구두를 영화 '오즈의 마법사'와 연관 짓곤 했다. **37** 그녀는 그 잘생긴 남자를 보고 잠시 주저했지만, 그에게 가서 인사했다. **38** 사무실에 있는 사람들은 모두 Frank가 매일 밤늦게까지 일해서 상사의 호의를 사려 한다고 생각한다. **39** 뉴욕의 1번가와 암스테르담가가 만나는 코너에 위치한 젤라또 가게는 서른 가지가 넘는 맛의 아이스크림을 판매한다. **40** 원자로는 수백 명의 사람들이 제대로 일해야 하는 복잡한 장치이다. / 내가 자란 주택 단지는 최근에 골프장에 자리를 내주기 위해 철거되었다.

A | 다음 영어를 우리말로, 우리말을 영어로 쓰시오.

1 aggressive _____
2 civilize _____
3 consume _____
4 contain _____
5 cuisine _____
6 factor _____
7 manufacture _____
8 mature _____
9 purchase _____
10 sensibility _____

11 겉보기의, 표면상의 _____
12 결합하다 _____
13 깃털 _____
14 인기 _____
15 불쾌하게 하다 _____
16 정책, 방책; 보험증서 _____
17 처벌하다 _____
18 탈출하다, 벗어나다 _____
19 불쾌한, 혐오스러운 _____
20 호의; 지지; 선호하다 _____

B | 다음 빈칸에 알맞은 말을 쓰시오.

1 constant **ad** _____
2 cover **n** _____
3 reveal **n** _____
4 abstract **n** _____

5 contain **n** _____
6 consume **n** _____
7 offend **a** _____
8 comprehend **n** _____

C | 다음 빈칸에 들어갈 알맞은 말을 보기 에서 고르시오.

보기   reveal   sudden   associate   consumers   flavor

1 At that moment, a _____ inspiration took hold.

2 Bottles can _____ their contents without being opened.

3 Teas will be judged according to color, smell, and _____.

4 Ordinary _____ can own a copy of the highly valued originals.

5 After a lunch meeting with a work _____, she left the office to collect the daily mail.

01▶
distortion
[distɔ́:rʃən]
distort ⓥ 왜곡하다

ⓝ 왜곡

Honey-bees can transmit specific factual information without any **distortion** or ambiguity.

02▶
document
[dɑ́kjəmənt]

ⓥ 서류로 입증하다; 상세히 기록하다

The negative effects of extrinsic motivators have been **documented** with students from different cultures.

03▶
diagnosis
[dàiəgnóusis]

ⓝ 진단

Some people believe it is correct to tell a patient of a fatal **diagnosis**.

04▶
initial
[iníʃəl]

ⓐ 처음의, 최초의 ⓝ 이름의 첫 글자

She realized that her **initial** negative impression of Trey was inaccurate.

05▶
consist
[kənsíst]

ⓥ (~로) 이루어져 있다; (~에) 있다

The meeting was to **consist** only of the three managers and the secretary, but 10 people came along.

06▶
burden
[bə́:rdn]

ⓝ 짐, 부담

Being the class president was a great experience, but the extra work was a **burden** during exam time.

---

01 꿀벌은 특정한 사실적 정보를 어떠한 왜곡이나 모호함이 없이 전달할 수 있다. 02 외적인 동기 부여 요인의 부정적인 영향은 다양한 문화권 출신의 학생들에게서 서류로 입증되어 왔다. 03 몇몇 사람들은 환자들에게 시한부 진단을 알려주는 것이 옳다고 생각한다. 04 그녀는 Trey에 대한 부정적인 첫 인상이 틀렸다는 것을 깨달았다. 05 그 회의는 세 명의 관리자와 비서만으로 이루어지도록 되어 있었지만, 10명이 따라 들어왔다. 06 반장이 된 것은 큰 경험이지만, 시험 중에는 별도의 업무가 부담이었다.

07 ▶

offer
[ɔ́(ː)fər]

ⓥ 제안[제의]하다 ⓝ 제안, 제의

The company offered me a job, but I rejected it.

08 ▶

optimistic
[ɑ̀ptəmístik]
optimist ⓝ 낙관론자

ⓐ 낙천적인; 낙관하는

The college application was difficult, but she was optimistic about her chances of being accepted.

09 ▶

string
[stríŋ]

ⓝ 줄, 끈

A tight violin string can be viewed as composed of many individual pieces that are connected in a chain as in the above two figures.

10 ▶

vibrate
[váibreit]
vibration ⓝ 진동

ⓥ 진동하다, 떨다

It was some time before she felt the phone vibrate in her bag.

11 ▶

interpret
[intə́ːrprit]
interpretation ⓝ 해석, 이해

ⓥ 이해하다; 해석[통역]하다

The results of the X-ray were difficult to interpret.

12 ▶

slightly
[sláitli]
slight ⓐ 약간의, 조금의

ⓐⓓ 약간

The vegetables were still slightly crunchy, which really brought out their flavors.

---

07 그 회사는 내게 일자리를 제안했지만, 나는 그것을 거절했다. 08 그 대학 지원은 어려웠으나, 그녀는 자신이 받아들여질 기회에 대해 낙관했다. 09 위의 두 그림에서 보는 바와 같이 팽팽한 바이올린 줄은 체인 형태로 연결된 많은 개별적인 부분의 합으로 볼 수 있다. 10 어느 정도 시간이 지나서야 그녀는 가방 안에서 전화기가 진동하는 것을 느꼈다. 11 그 엑스레이 결과는 이해하기에 어려웠다. 12 그 야채들은 여전히 약간 아삭거렸으며, 그것이 진정한 풍미를 냈다.

13▶

equal
[íːkwəl]

equality ⓝ 평등, 균등
equally ⓐⅾ 동일하게, 균등하게

ⓐ 같은, 동등한

Although the twins were exactly equal in height, they looked nothing like each other.

14▶

curtained
[kə́ːrtənd]

ⓐ 커튼이 쳐진

I've always wanted to know what's behind the curtained door.

15▶

tax
[tæks]

ⓝ 세금

After the 10% tax was added to the dinner bill, it was a surprise to the couple who didn't budget for it.

16▶

complain
[kəmpléin]

complaint ⓝ 불평, 항의

ⓥ 불평하다, 항의하다

After the third day with no lunch break, the employee decided to complain about the extra workload.

17▶

function
[fʌ́ŋkʃən]

functional
ⓐ 기능적인, 실용적인

ⓝ 기능 ⓥ 기능을 하다

The function of the committee is to investigate the recent complaints received by employees.

18▶

athletic
[æθlétik]

athlete ⓝ 운동선수

ⓐ 운동 경기의; 몸이 튼튼한

While her parents were proud of her athletic success, they still wanted her to achieve high grades.

---

13 그 쌍둥이는 정확히 키가 같았지만, 그들은 서로 전혀 닮아 보이지 않았다. **14** 나는 커튼이 쳐진 문 뒤에 무엇이 있는지 늘 알고 싶었다. **15** 저녁식사 계산서에 10%의 세금이 추가되자 그것을 예산에 넣지 않은 그 부부는 놀랐다. **16** 점심시간이 없어진 지 3일 후에 직원들은 추가 업무에 대해 항의하기로 했다. **17** 그 위원회의 기능은 직원들을 통해 받은 최근의 불만 사항을 조사하는 것이다. **18** 그녀의 부모는 그녀가 운동에서 성공한 것을 자랑스러워했지만, 아직도 그녀가 좋은 성적을 얻기를 바랐다.

19▶

overall
[óuvərɔ̀:l]

ⓐ 종합적인 **ad** 전반적으로

It was a good day overall, and all the children went home proud of their performances.

20▶

resemble
[rizémbl]

resemblance ⓝ 닮음, 유사함

ⓥ 닮다

It's amazing how closely some fake handbags resemble the expensive designer ones.

21▶

curve
[kəːrv]

curvy ⓐ 굴곡이 많은

ⓥ 곡선으로 나아가다 ⓝ 곡선

The ball curved cleanly into the basket, stiffly popping the chain-link net.

22▶

spectator
[spékteitər]

spectate ⓥ 지켜보다, 구경하다

ⓝ 관중

It's exciting to see a spectator who catches a baseball during the game.

23▶

depression
[dipréʃən]

depress
ⓥ 우울하게 만들다, 침체시키다
depressive ⓐ 우울증의

ⓝ 우울(증); 경기 침체

On the contrary, over forty years ago, controlled studies showed that fits of anger are more likely to intensify anger, and that tears can drive us still deeper into depression.

---

19 전반적으로 괜찮은 날이었고, 모든 아이들은 자신의 연주에 대해 자랑스러워하며 집으로 갔다. **20** 일부 가짜 핸드백이 디자이너가 만든 값비싼 핸드백을 얼마나 흡사하게 빼닮았는지 놀라울 정도다. **21** 공은 골대 안으로 깨끗하게 곡선을 그리며 나아가서 굵은 철사로 엮인 골망으로 빳빳하게 들어갔다. **22** 게임 도중 관중이 야구공을 잡는 것을 보는 것은 흥미진진하다. **23** 반면에, 40여 년 전 대조 연구는 발끈하는 것은 화를 더욱 강화시키기 쉽고, 눈물은 훨씬 더 깊은 우울증에 빠지게 한다는 것을 보여 주었다.

24 ▶

found
[faund]

foundation ⓝ 토대, 재단

ⓥ 설립하다

The first campus, founded by the original families in the area, was opened in 1906.

> **Tips** 동사 find(찾다)의 과거형, 과거분사형 found와 혼동하지 않도록 유의하자!

25 ▶

progressive
[prəgrésiv]

progress ⓥ 진전을 보이다

ⓐ 진보적인; 점진적인

He had always had progressive ideas, so he was happy to stay home with the baby.

26 ▶

justice
[dʒʌstis]

ⓝ 정의, 정당성

The family struggled to see the justice behind the judge's decision.

27 ▶

branch
[bræntʃ]

ⓝ (회사의) 지점, 분점; 나뭇가지

Please visit our central city branch for easy banking in more than ten languages.

28 ▶

sacred
[séikrid]

ⓐ 신성한, 성스러운

The area was sacred to the native people who had lived there for thousands of years.

29 ▶

mediate
[míːdièit]

mediator ⓝ 중재인, 조정자
mediation ⓝ 중재, 조정

ⓥ 중재하다, 조정하다

A special security meeting was called to try to mediate the growing tensions between the companies.

✓ **24** 그 지역에 원래부터 거주하던 가문들에 의해 설립된 최초의 캠퍼스는 1906년에 문을 열었다. **25** 그는 항상 진보적인 생각을 가지고 있어서 아기와 함께 집에 있는 것을 좋아했다. **26** 그 가족은 그 판사의 결정 배후에 있는 정의를 보기 위해 애를 썼다. **27** 열 개 이상의 언어로 편리하게 은행 업무를 보시려면 우리의 시 중앙 지점을 방문해 주십시오. **28** 그 지역은 그곳에서 수천 년을 살아온 원주민들에게는 신성한 곳이었다. **29** 회사들 간의 고조되는 긴장감을 중재하기 위한 시도로 특별 보안 회의가 소집되었다.

30 ▶

dispute
[dispjúːt]

ⓝ 분쟁, 논쟁 ⓥ 반박하다, 반론하다

There was much dispute over the painting, with many calling it a fake.

31 ▶

official
[əfíʃəl]

officially **ad** 공식적으로

ⓐ 공식적인, 공무상의 ⓝ 관리

Finally it was official — the council had approved plans for the new building.

32 ▶

regulate
[régjəlèit]

regulation ⓝ 규정, 규제

ⓥ 규제[단속]하다; 조절하다

To regulate the temperature, use the controls on the main control panel.

33 ▶

blossom
[blásəm]

ⓝ 꽃 ⓥ 꽃이 피다

The beautiful pink blossoms meant that spring had finally arrived.

34 ▶

aroma
[əróumə]

ⓝ 향기

It was impossible not to be hungry with the aroma of freshly baked bread coming from the kitchen.

35 ▶

weakness
[wíːknis]

ⓝ 약점, 약함

Chocolates were always the teacher's weakness, and her students bought her some each week.

---

30 많은 사람들이 그 그림을 가짜라고 말하면서 그에 대한 많은 논쟁이 있었다. **31** 드디어 공식적으로 위원회는 새로운 건물에 대한 건설 계획을 승인했다. **32** 온도를 조절하려면 주 제어판에 있는 제어기를 이용하시오. **33** 아름다운 분홍색 꽃들은 드디어 봄이 왔다는 것을 의미했다. **34** 부엌에서 풍겨오는 갓 구운 빵의 향기에 배고파지지 않는다는 것은 불가능했다. **35** 그 선생님은 초콜릿이라면 늘 사족을 못 썼으며, 그녀의 학생들은 매주 그녀에게 초콜릿을 조금 사주었다.

36▶

bend
[bend]
bent ⓐ 구부러진

ⓥ 구부리다

Each time the baby threw something, the poor mother had to bend over and pick it up again.

37▶

constitute
[kánstətʃùːt]
constituent ⓝ 구성 요소
ⓐ ～을 구성하는

ⓥ ～으로 여겨지다; ～을 구성하다

Talking during the exam may constitute a charge of cheating, so please remain quiet.

혼동 어휘

38▶

access
[ǽkses]
accessible ⓐ 접근 가능한

ⓝ 접근; 입장 ⓥ 접근하다; 접속하다

All students have free Internet access at the local library.

39▶

excess
[iksés / eksés]
exceed ⓥ 넘다, 초과하다
excessive ⓐ 지나친, 과도한

ⓝ 과잉, 초과량 ⓐ 초과한

The routine medical tests found an excess of sodium in his body.

다의어

40▶

address
[ədrés]

ⓥ (문제에 대해) 고심하다, 다루다

Today the language policies in the United States address this problem primarily with efforts to teach "foreign" languages to monolingual Americans.

ⓥ 연설하다, 부르다, 말하다

The speaker addressed his audience slowly and in a strong voice.

36 아기가 뭔가를 던질 때마다 가엾은 엄마는 허리를 굽히고 그것을 다시 주워야 했다. **37** 시험 도중 말을 하면 부정행위로 여겨질 수 있으니 조용히 해주시기 바랍니다. **38** 학생 전원은 지역 도서관에서 무료로 인터넷에 접속할 수 있다. **39** 정기 건강검진 결과, 그의 체내에 소금이 지나치게 많다는 사실이 밝혀졌다. **40** 오늘날 미국의 언어 정책은 한 언어만 쓰는 미국인들에게 '외국'어를 가르치려는 노력을 통해서 주로 이 문제를 다룬다. / 그 연설자는 청중들에게 천천히, 그리고 강한 목소리로 연설했다.

A 다음 영어를 우리말로, 우리말을 영어로 쓰시오.

1 access _____ 11 곡선(으로 나아가다) _____
2 bend _____ 12 관중 _____
3 blossom _____ 13 닮다 _____
4 branch _____ 14 불평하다, 항의하다 _____
5 distortion _____ 15 약간 _____
6 initial _____ 16 약점, 약함 _____
7 mediate _____ 17 제안[제의](하다) _____
8 consist _____ 18 줄, 끈 _____
9 regulate _____ 19 짐, 부담 _____
10 sacred _____ 20 향기 _____

B 다음 빈칸에 알맞은 말을 쓰시오.

1 official ad _____ 5 equal n _____
2 depression v _____ 6 vibrate n _____
3 progressive v _____ 7 athletic n _____
4 found n _____ 8 resemble n _____

C 다음 빈칸에 들어갈 알맞은 말을 보기 에서 고르시오.

보기 address athletic interpret function overall

1 The _____ change in the enrollment rate from 1980 to 1990 was smaller for youth ages 14-17 than for youth ages 18-19.

2 Design, on the other hand, is primarily concerned with problem solving, the _____ of a product.

3 The first grade teachers all agreed that they needed to _____ their students' poor reading skills.

4 Nowadays, we can enjoy _____ competition of every kind without leaving our homes.

5 We rarely _____ marks on paper as references to the paper itself.

on

01 ▶

try on

입어 보다

The light suddenly went out when Jessica was trying on new clothes.

02 ▶

carry on

계속하다

The scientist managed to carry on with his work even though his assistants had left him.

03 ▶

hang on

단단히 매달리다

You should hang on to the pole if you don't want to fall down.

04 ▶

go on

~을 계속하다, 앞으로 나아가다

Go on with what you're doing and don't let your brothers disturb you.

off

05 ▶

give off

발산하다, 내뿜다

Garbage that is left alone for several days tends to give off a very unpleasant smell.

06 ▶

call off

취소하다

Unfortunately, we had to call off our trip to Bermuda when we heard the reports of flooding on the island.

07 ▶

lay off

해고하다

More automobile factories are expected to lay off temporary workers until the economy improves later this year.

08 ▶

fall off

(질, 양이) 줄다; 떨어지다[분리되다]

Participation in the weekly book club for young parents has fallen off since the start of spring.

01 Jessica가 새 옷을 입어 보려고 할 때 갑자기 불이 꺼졌다. **02** 그 과학자는 그의 조수들이 모두 떠났음에도 불구하고 간신히 그의 작업을 계속해 나갔다. **03** 떨어지고 싶지 않으면 봉에 꼭 매달려야 한다. **04** 네가 지금 하고 있는 일을 매진하며 네 형제들이 너를 방해하지 않게 해라. **05** 며칠 동안 내버려둔 쓰레기는 아주 불쾌한 냄새를 내뿜는 경향이 있다. **06** 버뮤다의 홍수 보도를 듣고, 우리는 안타깝게도 버뮤다 여행을 취소해야 했다. **07** 올해 말에 경제가 나아질 때까지 더 많은 자동차 공장들이 비정규직을 해고할 전망이다. **08** 젊은 부모들을 위한 주간 독서회 참여가 봄이 시작된 이후에 줄고 있다.

부록

Answers
Index

ANSWERS

DAILY TEST

 p. 17

Ⓐ
1 최소화하다　2 공존하다　3 불쾌한 일, 사기, 사건
4 놓다, 두다, (알을) 낳다　5 있다; 눕다; 놓여 있다
6 고집스럽게 계속하다　7 개혁(하다)
8 정사각형 모양의; 정사각형; 광장
9 줄기; (사건 등이) ~에서 유래하다
10 개발되지 않은, 미개발된　11 urgent　12 lid
13 reward　14 compact　15 circulate
16 errand　17 contrast　18 hire　19 chemical
20 soak

Ⓑ
1 magnification　2 adjustment　3 arrive
4 loose　5 drainage　6 urgency
7 cooperative　8 deafen

Ⓒ
1 gestured　2 contrast　3 enhance
4 chores　5 reformed

 p. 25

Ⓐ
1 걱정, 우려; 걱정스럽게 만들다　2 사실에 근거한
3 뒤집다; 손가락으로 튀기다　4 구성 방식
5 엉망인, 지저분한　6 때, 행사, 경우
7 여러 차례, 되풀이하여　8 예약하다
9 보관[저장]하다; 저장고　10 목격자, 증인; 목격하다
11 session　12 tutor　13 technician
14 wooden　15 assist　16 attraction
17 external　18 method　19 receipt　20 recipe

Ⓑ
1 wood　2 storage　3 attract　4 flexibility
5 rob　6 mess　7 renewal　8 cellular

Ⓒ
1 junk　2 on-the-spot　3 secretary
4 present　5 draft

 p. 33

Ⓐ
1 골동품　2 (연설을) 하다; 배달하다
3 업무, 의무, 임무　4 형성시키다; 종류, 형태
5 (등급을) 나누다　6 낮잠; 낮잠을 자다
7 (광이 나도록) 닦다, 다듬다　8 지탱하다, 유지하다
9 잊을 수 없는　10 귓속말을 하다　11 trap
12 account　13 orphan　14 insect
15 audience　16 insult　17 insert
18 food poisoning　19 consciousness
20 scale

Ⓑ
1 consequent　2 recovery　3 graduation
4 formation　5 literary　6 essence
7 roughen　8 unfortunate

Ⓒ
1 blank　2 trap　3 weaken
4 pitching　5 term

p. 41

Ⓐ
1 묶다; 의무를 지우다　2 효율적인, 효율성이 높은
3 낮추다, 떨어뜨리다　4 인지하다, 알아차리다
5 (활동, 지식 등의) 영역　6 줄이다, 낮추다
7 대답[응답]하다　8 전문, 장기, 특성
9 삼키다　10 수중의; 수중에서　11 differ
12 meanwhile　13 depict　14 horrific
15 deceive　16 ritual　17 acknowledge
18 irritable　19 note　20 commute

Ⓑ
1 different　2 reduction　3 instinctive
4 simple　5 abusive　6 irritate
7 evolution　8 revision

Ⓒ
1 overweight　2 mindful　3 occupation
4 receive　5 boundary

p. 49

Ⓐ
1 사랑 받는, 인기 많은　2 식민지　3 독특한, 특색 있는
4 투옥하다, 갇히게 하다　5 마음의, 정신적인
6 종교적인　7 하인, 고용인　8 최대화하다, 극대화하다
9 간지럼 태우다, 간지럽다　10 상처; 상처를 입히다
11 objective　12 bald　13 frequency
14 generation gap　15 faucet　16 surgeon
17 stare　18 despair　19 duration　20 rule

Ⓑ
1 brave　2 uneasy　3 eventual　4 mentally
5 commercial　6 desperate　7 religion
8 modification

Ⓒ
1 modified　2 lack　3 irresistible　4 leads
5 features

 p. 59

Ⓐ
1 장치　2 당황스럽게[난처하게] 만들다
3 고무하다, 영감을 주다　4 집주인, 임대인
5 평행한, 아주 유사한　6 지급, 지불; 보답; 급여
7 다시 일어나다, 반복되다　8 임대하다, 빌리다
9 세입자, 임차인　10 채식을 하는; 채식주의자
11 reside　12 awesome　13 seize
14 agriculture　15 appliance　16 full-scale
17 aspire　18 genre　19 responsible
20 warranty

Ⓑ
1 publication　2 swiftly　3 perspiration
4 occurrence　5 addictive
6 register　7 resident　8 suspicion

Ⓒ
1 semester　2 overnight　3 laboratory
4 fueling　5 publishing

 p. 67

Ⓐ
1 겨누다, 겨냥하다　2 기사; 품목　3 대기; 분위기
4 가슴, 흉부. 상자, 함　5 동료, 친구, 동반자
6 양심　7 파괴하다, 부수다　8 드러나다, 부각되다
9 윤리적인, 도덕적인　10 공연, 실적
11 emphasize　12 solitude　13 moral
14 wealthy　15 ensure
16 breakdown　17 vegetation
18 morale　19 electricity　20 fur

Ⓑ
1 press　2 excellent　3 extraordinarily
4 doubtful　5 deep　6 thieve　7 emphasis
8 bankruptcy

Ⓒ
1 doubt　2 grinding　3 forehead　4 sinking
5 sacrifices

 p. 75

Ⓐ
1 (물, 음식 등을 보관하는) 큰 통
2 우수한, 훌륭한; 눈부신
3 경쟁하는, 경쟁심이 강한; 경쟁할 수 있는
4 믿음, 신뢰; 신앙심　5 이해하기 힘든, 불가사의한
6 신화 속에 나오는; 가공의　7 도로를 포장하다
8 껍질(을 벗기다)　9 개척자; 개척하다
10 숭배; 숭배하다　11 satellite　12 quite
13 continent　14 bitter　15 intake
16 detergent　17 pollute　18 pitiful
19 surface　20 stir

Ⓑ
1 digestion　2 nutrition　3 liberally
4 quietly　5 exhaust　6 insist　7 exploratory
8 digestive

Ⓒ
1 side effects　2 pesticides　3 shore
4 Organic　5 bitter

p. 83

Ⓐ
1 분류하다   2 고백[자백]하다
3 해고하다; 석방하다; 제대하다; 퇴원하다
4 (안 좋은 사건 뒤의) 경악, 당황; 실망
5 둘러싸다; 동봉하다   6 점진적인, 단계적인
7 은유, 비유   8 겉보기에는   9 미묘한; 교묘한
10 항복하다; 양도하다, 넘겨주다   11 viewpoint
12 somewhat   13 annual
14 open-minded   15 prehistoric
16 vanish   17 endure   18 premise
19 instant   20 reserve

Ⓑ
1 illustration   2 preservation
3 democratic   4 precision
5 supplementary   6 radiant   7 ascendant
8 privacy

Ⓒ
1 priorities   2 unpredictable   3 commands
4 instant   5 preserve

 p. 91

Ⓐ
1 도토리   2 생기다, 발생하다   3 소유하다, 지니다
4 〈각도, 온도〉 도; 정도; 학위   5 가짜의; 위조하다
6 획 보다, 대충 보다   7 인류, 인간   8 환상; 오해, 착각
9 정말, 사실   10 (문, 창문을) 쾅 닫다   11 orchard
12 valuables   13 gust   14 food chain
15 veterinarian   16 federal   17 zealous
18 scholarship   19 ancestor   20 jealous

Ⓑ
1 proficience   2 extinction   3 adaptive
4 adoption   5 dominant   6 nourishment
7 insightful   8 zeal

Ⓒ
1 arise   2 dominate   3 efficiency   4 undergo
5 indicate

 p. 101

Ⓐ
1 광고, 선전   2 지원하다, 적용하다   3 혈액형
4 보장(하다), 보증(하다)   5 떠나다
6 할인, 값을 깎아주다   7 기부하다   8 도구, 장치, 악기
9 연결(하다), 관계   10 다문화의   11 possible
12 virtually   13 past   14 relationship
15 reserved   16 sensitive   17 install
18 claim   19 place   20 arrogant

Ⓑ
1 personal   2 discussion   3 bother
4 virtual   5 oppose   6 supposition
7 terrible   8 cancelation

Ⓒ
1 bank   2 substances   3 multiracial
4 donate   5 past

 p. 109

Ⓐ
1 동행하다, 동반되다   2 감사하다; 감상하다
3 인지, 인식, 알고 있음   4 게시판
5 영구적인   6 목적지, 도착지
7 거리(감); 상당한 거리; 먼 곳   8 이혼(하다)
9 스스로 조립[수리]하는 것   10 기대하다, 예상하다
11 lift   12 lightweight   13 footstep
14 photography   15 symbolize
16 relieve   17 organize
18 participate   19 recommend   20 remedy

Ⓑ
1 withdrawal   2 replacement   3 temporarily
4 necessity   5 acquisition   6 execution
7 warn   8 admit

Ⓒ
1 photography   2 lightweight   3 symbolizes
4 professional   5 distance

p. 117

A

1 성취하다, 달성하다   2 나중에, 그 뒤에
3 처리하다, 정리하다   4 상황, 환경   5 협력, 협조
6 (규모가 큰) 회사, 기업   7 감히 ~하다
8 얻다; ~에서 비롯되다   9 결정하다, 확정하다
10 적대적인   11 mischief   12 pathetic
13 courageous   14 indifferent   15 misbehave
16 reliable   17 welfare   18 mention
19 misuse   20 define

B

1 innocence   2 guilt   3 distinguishable
4 certainly   5 sympathy   6 pursuit
7 mischievous   8 anticipation

C

1 provoke   2 publication   3 opposition
4 courageous   5 anticipate

 p. 125

A

1 영향을 미치다, 작용하다
2 유대(감), 접착, 결합하다; 접합하다
3 얻다, 성취하다   4 욕구, 바람, 바라다, 원하다
5 조사하다, 검사하다   6 악화시키다; 손상시키다
7 도입[시작]하다, 기관, 협회   8 투자하다
9 체액, 유체   10 묶다, 결부시키다; 매듭; 속박, 구속
11 breed   12 defend   13 retain   14 donor
15 fragile   16 ecology   17 citizenship
18 primary   19 vomit   20 recess

B

1 vacancy   2 survival   3 politely   4 relate
5 implicit   6 frequency   7 disturbance
8 starvation

C

1 party   2 occupies   3 shed   4 affection
5 recess

 p. 133

A

1 혼란시키다   2 끝, 위기   3 설명하다   4 인상적인
5 보험(금)   6 가축   7 겹치다, 중복되다
8 역설(적인 상황)   9 또래; 동료   10 여분의, 할애하다
11 exert   12 tendency   13 petal   14 endless
15 obey   16 helpless   17 resent   18 asset
19 concentrate   20 shameless

B

1 faulty   2 excess   3 approximately
4 genuinely   5 fetus   6 clarification
7 security   8 resolution

C

1 mutual   2 diverse   3 reproduced
4 critical   5 secure

p. 143

A

1 발표하다, 알리다   2 흐르다, 흐름
3 지시하다, 가르치다   4 내부의, 체내의
5 ~하기 쉬운, ~의 영향을 받기 쉬운
6 합리적인, 이성적인
7 (엔진, 시동 등이) 갑자기 멎다; 가판, 매대
8 주제; 대상; 피실험자   9 떨다   10 방대한, 무한한
11 endeavor   12 reluctant   13 meaningless
14 opposite   15 visual   16 attract
17 previous   18 selfless   19 share
20 distract

B

1 assembly   2 judgement   3 infinity
4 properly   5 experimental   6 instruction
7 mimicry   8 denial

C

1 judging   2 obvious   3 conduct   4 inner
5 paralyzed

p. 151

Ⓐ
1 장담하다, 보장하다 2 첨부하다; 붙이다
3 인정하다 4 받아들이다; 포용하다
5 가치 있는, 바람직한; 탐나는 6 분리하다, 떼다
7 심각한, 중대한; 무덤 8 성실한; 진지한 9 비용, 돈
10 정도, 규모 11 passage 12 worthwhile
13 reject 14 terrify 15 receptive
16 sorrow 17 regard 18 master
19 innovate 20 scan

Ⓑ
1 anxiety 2 sharpen 3 activity
4 accomplishment 5 fatal 6 stiff
7 expansive 8 assurance

Ⓒ
1 expanding 2 active 3 devoted
4 detached 5 opportunities

p. 159

Ⓐ
1 출현, 나타남 2 광고 3 대체의, 대안의, 대안
4 (해부학적) 구조; 해부학
5 (같은 직종에 종사하는) 동료 6 결과; 영향
7 문맥, 맥락 8 백과사전 9 풍요롭게 하다
10 서식지, 거주지 11 patch 12 review
13 labor 14 literary 15 sociology
16 wetland 17 preview 18 threaten
19 vacuum 20 enrich

Ⓑ
1 correction 2 vastly 3 shrinkage
4 concealment 5 response 6 existence
7 proceed 8 origin

Ⓒ
1 Habitat 2 enable 3 vast
4 vary 5 throughout

p. 167

Ⓐ
1 기여하다; ~의 원인이 되다
2 (질병의 원인을) 진단하다 3 환경 4 침입하다
5 깨닫다, 실현하다
6 ~에 강한, 저항하는
7 잠재적인; 가능성, 잠재력
8 구조; 조직(하다) 9 튼튼한, 힘센 10 둘러싸다
11 demand 12 miserable 13 gender
14 decay 15 filter 16 endanger
17 resource 18 mistaken 19 particular
20 absorb

Ⓑ
1 reflection 2 vitality 3 incredibly
4 densely 5 enlargement 6 relevance
7 mistakenly 8 acceptable

Ⓒ
1 resists 2 vital 3 attack 4 particular
5 separate

p. 175

Ⓐ
1 다투다; 주장하다; 입증하다 2 ~너머, ~지나
3 영향을 미치다; 영향(력) 4 (원치 않은) 개입, 방해
5 제출하다 6 많은, 다양한
7 용기, 불안; 긴장; 신경
8 나뉘다, 분열되다; 분열, 분할
9 속임수를 쓰다; 속임수, 요령
10 전형적인, 늘 하는 행동의
11 several 12 expire 13 attempt
14 inform 15 genetics 16 strategy
17 remove 18 discipline 19 characterize
20 conference

Ⓑ
1 define 2 appropriately 3 satisfaction
4 increasingly 5 know 6 nervous
7 description 8 accuracy

Ⓒ
1 promoted 2 bark 3 Knowledge
4 describes 5 accurate

Day 21 p. 185

Ⓐ
1 명백한, 분명한　2 꼭 쥐다; 이해하다
3 호소하다; 관심을 끌다; 호소; 매력　4 겨우, 단지
5 철학　6 정치적인　7 상기시키다, 떠오르게 하다
8 테마, 주제　9 옮기다, 이동하다　10 이식(하다)
11 cultivate　12 melt　13 preferable
14 identical　15 debt　16 imitate
17 primitive　18 offspring　19 harvest
20 ethnic

Ⓑ
1 apparently　2 imitation　3 cultivation
4 economy　5 industrialize　6 imagine
7 prefer　8 politics

Ⓒ
1 owe　2 contemporary　3 overlooking
4 appeal　5 respected

Day 22 p. 193

Ⓐ
1 부재인, 결석[결근]한　2 과제, 숙제; 임무
3 섞다, 혼합하다　4 기한, 마감　5 어지러운
6 12개짜리 한 묶음, 여러 개　7 강요하다, 집행하다
8 연구하다, 조사하다; 수사하다　9 나타내다, 대표하다
10 고귀한, 귀족의　11 transact
12 offense　13 transform
14 chemistry　15 qualify　16 transmit
17 symptom　18 participant　19 prescription
20 statistics

Ⓑ
1 composition　2 recognition　3 competitive
4 legalize　5 advice　6 sufficiency
7 curiosity　8 exposure

Ⓒ
1 recognized　2 sufficient　3 represented
4 competed　5 facility

Day 23 p. 201

Ⓐ
1 우주비행사　2 예측하다　3 가구를 비치하다; 제공하다
4 지리적인; 지리학의　5 통로
6 조작[가동]하다; 경영하다　7 인구; 주민
8 긁다, (긁어서) 새기다
9 (의견, 정책 등이) 바뀌다; 교대 근무
10 설득[권고]하다　11 itchy　12 advertise
13 sore　14 ignore　15 rub　16 modest
17 diligent　18 pat　19 ambitious
20 discomfort

Ⓑ
1 negatively　2 capability　3 immediately
4 virtuous　5 urgent　6 muscular　7 infection
8 prevail

Ⓒ
1 manned　2 firm　3 norm　4 granted
5 shift

Day 24 p. 209

Ⓐ
1 견해를 밝히다; 논평; 비판
2 개발하다; (필름을) 현상하다　3 차고, 주차장
4 응시하다, 가만히 바라보다
5 측정[계량]; 척도; 측정하다　6 이야기, 서술
7 (일반적인 문제를) 개인화하다　8 기도하다　9 먹이
10 정반대로 바꾸다, 뒤집다　11 cue　12 manner
13 interrupt　14 reserve　15 automatic
16 author　17 perceptual　18 auditory
19 burst　20 scatter

Ⓑ
1 demonstration　2 alternation
3 disappearance　4 reaction　5 major
6 measurement　7 disapproval　8 narrate

Ⓒ
1 analyze　2 pile　3 prey　4 odd
5 dew point

p. 217

Ⓐ
1 태도, 사고방식　2 음료
3 (방송, 신문의) 보도, (책 등에 실린 정보의) 범위
4 적; 장애물　5 인류; 인간성　6 중립적인; 중성의
7 평판　8 찾다, 추구하다　9 적합한, 알맞은
10 유효한, 타당한　11 float　12 conservation
13 decline　14 subjective　15 mineral
16 ecosystem　17 so-called　18 crash
19 repetitive　20 pause

Ⓑ
1 defective　2 massively　3 construction
4 ultimately　5 validity　6 bias　7 solitude
8 elementary

Ⓒ
1 resume　2 weigh　3 bunch　4 crash
5 defect

 p. 227

Ⓐ
1 쏟다, 흘리다　2 증거; 증언; 흔적
3 전시(회); (감정, 기교 등의) 표현
4 부도덕한, 비도덕적인　5 재산, 부동산; (사물의) 속성
6 두드러진; 빼어난　7 제안; 암시　8 원리, 원칙
9 부족, 집단　10 선명한; (색이) 화려한
11 architecture　12 absolute　13 namely
14 clarity　15 wasteland　16 trial and error
17 accessible　18 gravity　19 scenery
20 restore

Ⓑ
1 specifically　2 practice　3 vaguely
4 vertically　5 continue　6 restoration
7 irrelevance　8 tense

Ⓒ
1 issue　2 aspects　3 precious　4 irrelevant
5 namely

 p. 235

Ⓐ
1 좋아하다, 존경하다　2 광범위한, 널리 퍼진
3 필사적인, 간절히 원하는
4 공포, 두려움; 두려워하다, 염려하다　5 재료, 원료
6 좋아하다, 존경하다　7 (신체) 장기, 기관
8 설득하다, 납득시키다　9 약국　10 직사각형의
11 upright　12 mass produce
13 role model　14 parental　15 compare
16 overhear　17 exotic　18 boredom
19 engage　20 regret

Ⓑ
1 deliberately　2 remotely　3 engagement
4 distribution　5 alternation　6 beneficial
7 spectacle　8 superiority

Ⓒ
1 overheard　2 rectangular　3 engages
4 fare　5 intention

 p. 243

Ⓐ
1 비상[긴급] (사태)　2 (빛, 가스 등을) 내뿜다
3 추정[추산], 견적; 추정[추산]하다
4 비영리적인　5 비언어적인　6 생략하다
7 열정적인, 열렬한　8 용액　9 쓰레기, 쓸모없는 것
10 보물, 귀중품　11 souvenir　12 presentation
13 fine　14 accommodation　15 historic
16 allowance　17 charity　18 equipment
19 second-hand　20 creativity

Ⓑ
1 renovation　2 prohibition　3 charitable
4 nonviolence　5 discovery　6 inclusion
7 registration　8 refundable

Ⓒ
1 delightful　2 estimate　3 fee　4 historic
5 beat

p. 251

A

1 공격적인, 적극적인　2 교화하다; 세련되게 하다
3 소비하다; 먹다　4 ~이 들어 있다
5 (고유의) 요리법　6 요인, 인자
7 제조[생산](하다)　8 성숙한, 다 자란; 성숙해지다
9 사다; 구입　10 감정, 감수성　11 outward
12 combine　13 feather　14 popularity
15 offend　16 policy　17 punish　18 escape
19 hateful　20 favor

B

1 constantly　2 coverage　3 revelation
4 abstraction　5 content　6 consumption
7 offensive　8 comprehension

C

1 sudden　2 reveal　3 flavor　4 consumers
5 associate

 p. 259

A

1 접근; 입장; 접근하다; 접속하다　2 구부리다
3 꽃(이 피다)　4 나뭇가지; (회사의) 지점, 분점
5 왜곡　6 처음의, 최초의; 이름의 첫 글자
7 중재하다, 조정하다　8 (~로) 이루어져 있다; (~에) 있다
9 규제[단속]하다　10 신성한, 성스러운　11 curve
12 spectator　13 resemble　14 complain
15 slightly　16 weakness　17 offer　18 string
19 burden　20 aroma

B

1 officially　2 depress　3 progress
4 foundation　5 equality　6 vibration
7 athlete　8 resemblance

C

1 overall　2 function　3 address　4 athletic
5 interpret

INDEX

이것이 THIS IS 시리즈다!

THIS IS GRAMMAR 시리즈
▷ 중·고등 내신에 꼭 등장하는 어법 포인트 분석 및 총정리

강남인강 강의교재

THIS IS READING 시리즈
▷ 다양한 소재의 지문으로 내신 및 수능 완벽 대비

강남인강 강의교재

THIS IS VOCABULARY 시리즈
▷ 주제별로 분류한 교육부 권장 어휘

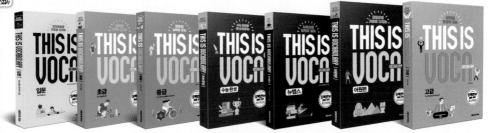

THIS IS 시리즈

무료 MP3 및 부가자료 다운로드
www.nexusbook.com
www.nexusEDU.kr

THIS IS GRAMMAR 시리즈
Starter 1~3   영어교육연구소 지음 | 205×265 | 144쪽 | 각 권 12,000원
초·중·고급 1·2   넥서스영어교육연구소 지음 | 205×265 | 250쪽 내외 | 각 권 12,000원

THIS IS READING 시리즈
Starter 1~3   김태연 지음 | 205×265 | 156쪽 | 각 권 12,000원
1·2·3·4   넥서스영어교육연구소 지음 | 205×265 | 192쪽 내외 | 각 권 10,000원

THIS IS VOCABULARY 시리즈
입문   넥서스영어교육연구소 지음 | 152×225 | 224쪽 | 10,000원
초·중·고급·어원편   권기하 지음 | 152×225 | 180×257 | 344쪽~444쪽 | 10,000원~12,000원
수능 완성   넥서스영어교육연구소 지음 | 152×225 | 280쪽 | 12,000원
뉴텝스   넥서스 TEPS연구소 지음 | 152×225 | 452쪽 | 13,800원

NEXUS Edu

LEVEL CHART

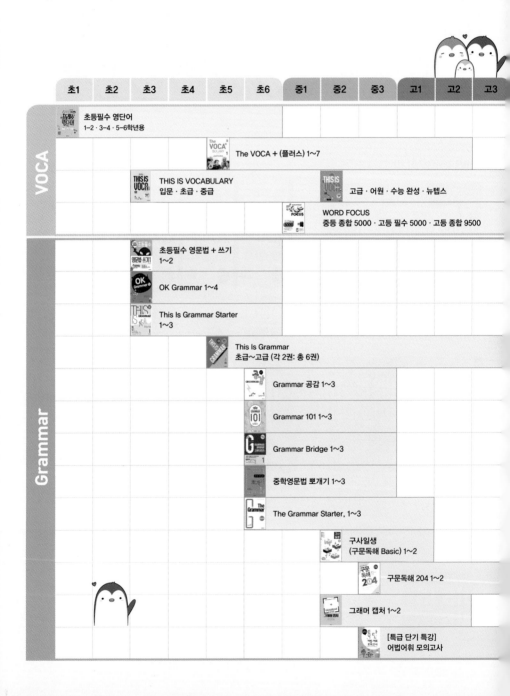

초1	초2	초3	초4	초5	초6	중1	중2	중3	고1	고2	고3

VOCA

- 초등필수 영단어 1-2 · 3-4 · 5-6학년용
- The VOCA + (플러스) 1~7
- THIS IS VOCABULARY 입문 · 초급 · 중급
- 고급 · 어원 · 수능 완성 · 뉴텝스
- WORD FOCUS 중등 종합 5000 · 고등 필수 5000 · 고등 종합 9500

Grammar

- 초등필수 영문법 + 쓰기 1~2
- OK Grammar 1~4
- This Is Grammar Starter 1~3
- This Is Grammar 초급~고급 (각 2권: 총 6권)
- Grammar 공감 1~3
- Grammar 101 1~3
- Grammar Bridge 1~3
- 중학영문법 뽀개기 1~3
- The Grammar Starter, 1~3
- 구사일생 (구문독해 Basic) 1~2
- 구문독해 204 1~2
- 그래머 캡처 1~2
- [특급 단기 특강] 어법어휘 모의고사

	초1	초2	초3	초4	초5	초6	중1	중2	중3	고1	고2	고3

Writing

- 공감 영문법+쓰기 1~2
- 도전만점 중등내신 서술형 1~4
- 영어일기 영작패턴 1-A, B · 2-A, B
- Smart Writing 1~2

Reading

- Reading 101 1~3
- Reading 공감 1~3
- This Is Reading Starter 1~3
- This Is Reading 전면 개정판 1~4
- This Is Reading 1-1 ~ 3-2 (각 2권; 총 6권)
- 원서 술술 읽는 Smart Reading Basic 1~2
- 원서 술술 읽는 Smart Reading 1~2
- [특급 단기 특강] 구문독해 · 독해유형

Listening

- Listening 공감 1~3
- The Listening 1~4
- After School Listening 1~3
- 도전! 만점 중학 영어듣기 모의고사 1~3
- 만점 적중 수능 듣기 모의고사 20회 · 35회

TEPS

- NEW TEPS 입문편 실전 250⁺ 청해 · 문법 · 독해
- NEW TEPS 기본편 실전 300⁺ 청해 · 문법 · 독해
- NEW TEPS 실력편 실전 400⁺ 청해 · 문법 · 독해
- NEW TEPS 마스터편 실전 500⁺ 청해 · 문법 · 독해

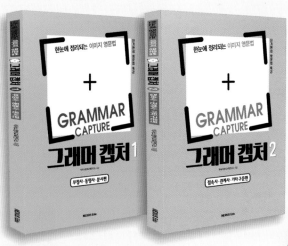